GW01086851

COLLECTION FOLIO

Martin Winckler

La vacation

P.O.L

© *P.O.L éditeur, 1989.*

Martin Winckler, de son vrai nom Marc Zaffran, est né en 1955 à Alger. Après son adolescence à Pithiviers (Loiret) et un séjour d'une année à Bloomington (Minnesota), il fait des études de médecine à Tours entre 1973 et 1982. Écrivain depuis l'enfance, il commence à publier des textes de fiction dans les revues *Prescrire* et *Nouvelles Nouvelles* au milieu des années 1980 et son premier roman, *La Vacation*, est publié par P.O.L en 1989. Entre *La Maladie de Sachs* (P.O.L, 1998 ; adapté au cinéma en 1999 par Michel Deville) et *En souvenir d'André* (P.O.L, 2012), il a publié une cinquantaine d'ouvrages : romans, anthologies, contes, essais consacrés au soin et aux arts populaires. Entre 2001 et 2003, il est le premier écrivain français à prépublier en feuilleton interactif, sur le site de P.O.L, deux grands livres autobiographiques : *Légendes* et *Plumes d'Ange*. En 2002 et 2003, sur France Inter, il écrit et lit chaque matin *Odyssée*, une chronique scientifique décalée qui marque durablement la mémoire des auditeurs. En 2009, après avoir reçu une bourse de chercheur invité au CRÉUM (Centre de recherches en éthique de l'université de Montréal), il émigre au Québec et s'installe à Montréal avec sa famille. Martin Winckler anime deux sites web très fréquentés par les internautes : *Winckler's Webzine* (www.martinwinckler. com), consacré à l'information sur la contraception et à la critique du système de santé ; et *Chevaliers des touches* (http:// wincklersblog.blogspot.com/), un « blog pour écrivants ». En 2013-2014, il est écrivain en résidence à l'Université McGill de Montréal et y donne des cours de création littéraire.

Adresse courriel : martinwinckler@gmail.com

Pour MLB,
cet enfant de papier.

5 décembre 1986 - 2 novembre 1988

Le ventre n'est pas un livre. La trace s'efface.
Les mots couteaux raclent en dedans.

CLAUDE PUJADE-RENAUD, *La ventriloque*.

MARDI

Tu es en retard.

La voiture dévale la côte, et tu dois freiner pour aborder l'entrée de l'hôpital. La barrière se lève à ton approche. Tu passes à petite vitesse devant la guérite du gardien. Tu lèves la main pour le saluer. Il te répond d'un hochement de tête.

Tu roules plus lentement dans les allées. Tu tournes à gauche, tu ralentis encore pour laisser passer un piéton, et après une dernière mais brève accélération, la voiture s'immobilise le long du trottoir de la Maternité, juste sous les fenêtres du service. Tu coupes le contact. À l'horloge du tableau de bord il est environ une heure vingt. Ta montre affiche 13:18.

Tu sors de voiture. Tu vérifies que toutes les portières sont verrouillées. Tu longes le bâtiment jusqu'à l'entrée du personnel. La porte s'ouvre brusquement devant toi pour laisser surgir trois femmes en grande conversation.

Tu entres. Placardé sur le mur de l'escalier, un ordre manuscrit t'enjoint de *Garder la porte fermée*. Tu obéis, et tu gravis par petits bonds successifs les quelques marches qui te séparent de la double porte en verre dépoli.

Le hall est vide. Tu jettes un coup d'œil à la quinquagénaire blond passé qui, derrière sa vitre, tapote devant un écran émeraude. Tu t'engages dans le long couloir blanc.

À l'autre bout du couloir, la porte est entrouverte. Pendue au plafond à mi-chemin, la pendule électrique indique huit heures moins le quart, peut-être depuis plusieurs jours. Assises, l'une à cette extrémité-ci, l'autre juste sous la pendule, deux femmes te regardent t'approcher, t'éloigner. Celle à qui tu tournes déjà le dos est avachie dans un profond fauteuil ; elle tient son ventre rond à deux mains. L'autre est assise bien droit, un sac fermement posé sur ses cuisses serrées. Elle te dévisage d'un œil inquiet, avant de reprendre la surveillance d'une porte frappée du mot *Planification*.

Comme tu finis de parcourir le chemin qui sépare les deux femmes, tu commences à percevoir les bruits du service. Là-bas, dans l'office, elles parlent fort ; les cuillères tintent dans les tasses.

Tu franchis la porte, tu la repousses derrière toi d'un seul geste, et elle se referme sans claquer, presque sans bruit. À ta gauche, le bureau de A. est vide. À ta droite, J. et les Agentes prennent le café, discutent enfants et tricots, maisons et voitures, grandes surfaces et petits plats. Tu te présentes au seuil de l'office.

— *Bonjour Mesdames*.
— *Bonjour Monsieur*.

16

— *Bonjour Bruno !*

— *Vous allez bien ?*

— *Très bien, et vous ? Prendrez-vous du café ?*

— *Non. Merci. Tout à l'heure.*

Derrière toi survient G., sortie de son secrétariat, portant son regard fatigué, poussant sa voix traînante.

— *Bonjour Bruno.*

— *Bonjour. Quel est le programme ?*

— *Il y a trois dames aujourd'hui, et deux consultations. Tu viendras me signer des ordonnances avant de partir ? Je n'en ai plus.*

— *D'accord.*

Tu fais encore dix pas. Avant de t'engager à gauche dans la salle de soins, tu jettes un coup d'œil à droite.

La porte de la salle d'attente est ouverte.

Dans l'encadrement, tu aperçois deux jambes, chaussures noires à talons, collant fantaisie, jupe de cuir au-dessus du genou.

Tu te glisses dans la salle de soins. Tu refermes la porte derrière toi.

Tu es seul dans la salle de soins.

Deux ou trois liasses de feuillets sont posées sur la paillasse. Tu ne les regardes pas.

Le haut casier métallique est ouvert ; une blouse blanche y est pendue. Tu la sors, tu l'examines ; tu décides de ne pas l'utiliser. Tu enlèves ton blouson, tu le suspends à l'un des deux cintres. En prenant garde de ne pas tirer sur une maille, tu retires le stylo agrafé au col de ton pull et tu le glisses entre tes dents. Tu ôtes le pull ; tu le ranges sur la tablette supérieure du casier. Tu retrousses, en les pliant avec soin, les manches de ta chemise.

D'autres blouses, pliées celles-là, sont empilées au fond. Tu en choisis une. Tu t'assures que sur la poche de poitrine, le mot *Médecin* est bien lisible. Tu enfiles la blouse, tu ranges le stylo dans la poche de façon à ce que l'agrafe se trouve juste à gauche du M. Une fois la blouse boutonnée, tu entreprends d'en replier les manches jusqu'aux coudes. Tu ajustes le col. Tu ouvres la porte de la salle de soins et tu sors dans le couloir. Quelqu'un a refermé la porte de la salle d'attente.

Tu te diriges vers le bureau de A.

La porte est fermée, à présent. Tu frappes.

— *Oui ?*

Tu entres.

— *Ah ! Comment vas-tu Bruno ?*

— *Ça va, et vous ?*

— *Ça va bien ! Nous avons trois dames aujourd'hui, et il me semble que l'une d'entre elles est déjà venue.*

Une liasse à la main, A. se lève et sort dans le couloir. Tu la suis. Tu la regardes se pencher au-dessus d'un grand fichier à tiroirs ; ses doigts dansent au sommet de centaines de petits cartons serrés dans les casiers.

— *Ah ! Il me semblait bien, aussi.*

Elle brandit un bristol orné d'une gommette rouge.

— *Deux fois.*

— *Elle ne vous l'avait pas dit ?*

— *Elles ne le disent pas toujours ; elles pensent peut-être qu'on ne s'en rendra pas compte. Peut-être qu'elles n'ont pas très envie de nous le rappeler... ou de s'en souvenir.*

— *Peut-être... C'est tellement différent d'une dame à l'autre.*

— *C'est vrai... On commence quand tu veux.*

— *Je suis prêt.*

— *Je te rejoins tout de suite.*

Tu te détournes pendant qu'elle referme le fichier.

Cette fois-ci, tu traverses la salle de soins sans y faire halte, et tu pénètres dans la salle d'examen.

Une des deux Agentes est occupée à la pré-
paration des instruments. Tu vas au lavabo, tu
t'escrimes encore une fois avec les robinets pour
obtenir un jet qui t'ébouillante sans inonder la
salle. Tu laisses tes mains immobiles un long
moment sous le filet d'eau, avant de verser dans
l'une de tes paumes une petite flaque d'un épais
savon liquide. Juste à ta gauche, l'Agente sort
d'un tambour métallique un drap bleu stérile,
le déplie devant elle au bout de deux grandes
pinces et l'étale sur le plateau de la table roulante. Tu frottes, le savon mousse. Elle déchire
un étui transparent et, sans les toucher, en fait
sortir de longues bougies graduées qu'elle aligne
sur le drap. Tu brosses tes ongles irréguliers. Elle
verse dans une cupule un liquide translucide,
dans une autre un liquide rouge sombre. Tu te
rinces les mains. Elle ouvre une boîte métallique,
y plonge une longue pince, en sort une Pozzi, une
Longuette, un spéculum, les dispose sur le drap
bleu près des bougies, et replace la pince dans un
récipient vertical empli d'alcool. Tu saisis la serviette propre posée à ta droite sur le radiateur,
tu t'essuies les mains doigt après doigt, et tu
refermes les robinets en les manipulant au travers du tissu. Elle se baisse pour prendre sous la
table deux étuis de cellophane, les épluche, laisse
choir deux fois quatre compresses sur un secteur
encore inoccupé du champ stérile. Tu saisis un
flacon souple, tu asperges tes mains d'alcool. Elle
se penche à nouveau vers le plateau inférieur de
la table roulante.

— *C'est du sept et demi pour vous, je crois ?*
— *Mmmhh…*

Elle déchire une longue enveloppe. Les gants, encore pliés dans un étui talqué, chutent à leur tour sur le drap bleu.

— *On peut faire entrer la première dame ?*

— *Mmmhh…*

Tu entends l'Agente ouvrir la porte de la salle d'attente.

— *Venez, Madame ! Voulez-vous venir, Monsieur ? Non ? Il préfère rester dans la salle d'attente ? Oui, bien sûr il peut venir, s'il veut. Bien. C'est par ici. Vous entrez là, à gauche.*

La dame apparaît sur le seuil, hésite. Elle te regarde à peine et jette un coup d'œil circulaire à cette salle qu'elle ne connaît pas. Elle te fait peut-être tout de même un bref signe de tête et *Bonjour Docteur*.

Elle entre, elle tient devant elle un sac en plastique ou un petit panier avec son sac à main. Elle s'avance à petits pas, elle s'arrête devant la haute table aux pieds chromés qui trône au centre de la pièce.

— *Tenez, allez vous déshabiller dans la cabine. Vous avez une chemise de nuit ?*

Elle répond oui en montrant le sac en plastique, le petit panier ; ou elle répond non et l'Agente, après t'avoir remis le dossier, va lui en choisir une sur la pile qui orne le radiateur près de la fenêtre.

Elle se réfugie dans la minuscule cabine, abandonnant de l'autre côté du rideau la femme (mère, sœur ou amie) ou l'homme qui, parfois, est entré à sa suite. À elle, à lui, tu désignes la chaise installée entre la table d'examen et la fenêtre. Il ou elle fait le tour de la table d'examen. Elle s'assoit, ou il reste debout les mains dans les poches, oscillant d'un pied sur l'autre, regard tournant autour de lui. Tu commences à examiner la liasse que t'a remise l'Agente.

Le dossier est composé de plusieurs feuilles, rangées dans un ordre bien précis et solidarisées par une simple attache-trombone. D'abord la fiche médicale, portant en haut à droite la date et le nom du médecin, confirme que ce dossier-ci te concerne, que la femme dont le nom est écrit un peu plus bas est bien celle qui se déshabille dans la cabine. Ton regard balaie très rapidement les lignes. Tu ne relèves que certaines informations, presque toujours les mêmes : l'âge, la profession et celle du mari (toutes deux rajoutées au crayon dans le coin supérieur gauche), l'adresse, le nombre d'enfants : des indications sur ce qu'elle est, sur ce qu'ils sont peut-être.

Plus bas sur la feuille se trouve une zone encore vierge où seront consignées les traces de ton intervention, zone dans laquelle tu inscriras les quelques éléments techniques qui permettront parfois, plus tard, de savoir ce que tu as observé, ce qui s'est passé, comment cette dame-ci s'est comportée, quelles difficultés éventuelles tu as rencontrées, quel matériel tu as utilisé, quels résultats tu crois avoir obtenus, quelles remarques tu as jugé utile de formuler pour les semaines ou les mois à venir.

Juste après vient le bulletin statistique orange, anonyme, fouillis de rubriques, de colonnes et de lignes recto verso, de cases numérotées et de zones réservées. Cette feuille-là, tu ne la remplis pas. C'est le plus souvent A. ou G. qui s'en occupent, et tu as passé plusieurs années dans le service sans prendre la peine de la lire. Aujourd'hui encore, tu ne feras qu'apposer ton nom à la fin du questionnaire, pour attester que les renseignements fournis l'ont été sous ta responsabilité, que l'intervention a bien été pratiquée dans les circonstances précitées.

La troisième feuille est rose ; elle aussi, tu la signeras tout à l'heure. Elle porte le texte suivant :

Application de l'article L 162-3, L 162-4 et L 162-5 du Code de la Santé.

Je soussigné . . . . . . , Docteur en Médecine, certifie que Madame . . . , demeurant . . . . . . , est venue me consulter, et que je l'ai informée des dispositions contenues dans l'article L 162-3 du Code de la Santé Publique.

J'atteste qu'elle a bénéficié d'un entretien particulier prévu par l'article L 162-4 du Code de la Santé Publique et qu'elle a rempli les conditions de l'article L 162-5.

Tourmens, le . . . .
Le médecin.

La quatrième feuille est bleu pâle, elle porte deux fois la signature de la femme.

Je soussignée,
Madame . . . .
demeurant . . . .
1° demande l'interruption de ma grossesse
date . . . .
signature . . . .
2° confirme ma demande d'interruption de gros-
sesse
date . . . .
signature . . . .

Le dernier document de la liasse est souvent la lettre d'un médecin, sur papier à en-tête. Tu y retrouves presque toujours des mots mille fois utilisés et pas toujours bien lisibles : *D.R. 22 février... Grossesse de neuf semaines... Délai légal... Oubli de pilule... Pas de contraception...* ou : *Chômage récent...* ou : *43 ans, dans l'impossibilité de...* et souvent, pour finir : *Je vous la confie.*

Mais de temps en temps il n'y a pas de lettre, rien que le mot un peu sec d'une assistante sociale attestant que *Madame... a bien bénéficié de l'entretien conforme à l'article L 162.4 du Code de la Santé Publique* ; un bordereau de laboratoire portant le résultat d'un test de grossesse ; la photo polaroïd d'un examen échographique.

Tout en surveillant les mouvements du rideau, tu rabats les feuillets et tu poses le dossier derrière toi sur la paillasse.
Tu attends, les bras croisés, le bassin calé contre le plan carrelé, et parfois avec un peu d'impatience, que la femme se soit dévêtue et

qu'elle apparaisse enfin en longue chemise de nuit ou en robe de chambre légère.

— *Venez, Madame.*

Tu lui souris, tu fais deux pas dans sa direction ; tu l'invites à s'approcher.

Tu te retournes vers le dossier et tu cherches des yeux le nom de la dame qui, debout devant toi près de la table d'examen, pose ses doigts sur le drap de papier.

— *Venez Madame euh... S. Approchez-vous.*

Tu désignes, à ses pieds, l'escabeau métallique qu'elle n'a pas vu encore, tant ses yeux tentent de fuir tout ce que contient la pièce : les personnes présentes, le matériel posé sur la table roulante, ta blouse blanche, ton visage.

Tu te places de l'autre côté de la table d'examen, tu l'invites à monter, tu tends les bras vers elle pour l'aider, et elle gravit les deux marches mais l'Agente l'interrompt dans son élan pour lui faire enlever ses chaussons, et lui demander si elle a pensé à ôter son slip. Parfois, elle a oublié ; elle redescend alors de l'escabeau, ôte sa culotte, la roule en boule dans sa main, se tourne se retourne en cherchant où la poser. Mais le plus souvent, elle a bien pensé à l'enlever ; l'Agente lui demande où elle l'a mise, s'en va la chercher derrière le rideau, dans le sac ou sur la chaise, la rapporte, et dans ce cas comme dans l'autre, la cache sous le petit traversin, à l'autre bout de la table haute aux pieds chromés.

— *C'est cela, installez-vous.*

Elle gravit à nouveau les deux marches de l'escabeau, pose les fesses au bord de la table, soulève les jambes, pivote pour les faire passer au-dessus de la jambière gauche, les laisse pendre enfin dans le vide. Parfois, elle s'immobilise en voyant à ses pieds le sac plastique noir béant dans la cuvette métallique, et ne relève enfin la tête qu'au son de ta voix.

— *Bonjour Madame, je suis le Docteur Sachs, c'est moi qui vais procéder à l'intervention. Tenez, mettez vos jambes comme ça. Vous savez comment ça se passe ? On vous a expliqué ?*

Déjà elle place ses cuisses dans les jambières et s'allonge sur la table d'examen en repoussant le bas de sa chemise de nuit.

Tu l'invites à se glisser *un petit peu plus* vers le bord de la table, tu la regardes se contorsionner pour approcher les fesses *le plus près possible du bord, encore un peu. Encore un tout petit peu. Voilà.*

Tu orientes au mieux les jambières articulées pour que ses cuisses écartées y soient confortablement installées. Elle maintient fermement la chemise de nuit sur le bas de son ventre. Tu places le petit traversin sous sa nuque. Tu essaies une nouvelle fois d'ajuster les jambières, mais les serrages métalliques sont réticents et tu n'y parviens qu'imparfaitement. Tu reviens te pencher sur son visage entouré de cheveux étalés. Tu poses la main droite sur son ventre en même temps que tu lui parles.

Tu te fais un devoir de bien articuler, de bien détailler d'une voix posée et calme ce que tu vas faire ; tu précises que tu la préviendras de chaque geste. *D'accord ?* Elle te répond oui, ou elle te porte un regard perdu.

L'homme, s'il est là, s'est assis sur la chaise, entre la table et la fenêtre, ou reste debout, une main posée sur le skaï rouge de la table d'examen, un genou calé contre un pied chromé.

A. pénètre dans la salle d'examen. Elle approche de la dame, lui prend la main, te regarde : *Madame S... est un peu émue*, se penche vers elle, sourit : *C'est bien naturel.*

La dame se tortille sur la table, pousse de grands soupirs, ouvre et ferme les yeux, se passe la main dans les cheveux. Lorsque tu la regardes avec bienveillance, elle laisse échapper : *C'est douloureux ?* Tu lui réponds que ça peut faire mal bien sûr, mais pas toujours. *Ça dépend des dames. Vous verrez, ça ne dure pas longtemps.*

Tu souris à nouveau, tu poses la main sur ses mains crispées.

— *On y va ?*

La dame regarde A.

A. hoche la tête.

— *De quand datent vos dernières règles ?*

Souvent elle hésite, elle regarde A. qui, presque toujours, donne la précision attendue.

— *Elles étaient comme d'habitude, ces dernières règles ? Combien de temps ont-elles duré ? Six jours ? C'était comme d'habitude ?* Tu te tournes vers la paillasse. *Vingt-deux février, ça fait combien, ça ?*

L'Agente sort de sa blouse un abaque rond en

plastique ou en carton, le manipule, te répond *dix semaines*, ou *huit et demie*, ou *un bon douze*. Pendant qu'elle calculait, tu as extirpé un doigtier en plastique d'une enveloppe posée sur la paillasse, tu l'as enfilé sur l'index et le majeur de ta main droite, tu as trempé les doigts ainsi recouverts dans le récipient empli de liquide translucide.

Tu reviens à présent vers la dame, tu évites le compas que forment ses jambes écartées, tu te postes à son côté. Avant de te pencher sur elle, tu annonces que tu vas l'examiner.

Tu places ta main droite entre ses cuisses, tu inclines la tête pour mieux voir les grandes lèvres, tu les écartes de deux doigts de la main gauche, tu glisses les doigts gantés et humides dans la vulve, tu reviens poser la main gauche sur son ventre après avoir relevé *Pardon* le bas de la chemise de nuit.

D'une main, tu refoules. De l'autre, tu évalues.

Tu te redresses enfin et, selon les constatations que tu viens de faire, tu murmures *Bon*, ou *Votre utérus est en arrière, le saviez-vous ?* ou quelque autre commentaire sur l'état de gravidité de la dame. Il arrive que tu soupires sans rien dire.

Tu ôtes le doigtier en le retournant comme une chaussette ; tu le laisses tomber dans la cuvette tapissée d'un sac en plastique noir ; tu repasses au bout de la table d'examen.

Tu tires à toi la table roulante.

Tu te trouves à présent au centre d'un espace fonctionnel délimité par les éléments qui habitent la salle.

Éléments fixes : derrière toi la paillasse, devant toi la table d'examen, à tes pieds la bassine métallique tapissée d'un sac en plastique noir ; éléments mobiles : la table roulante portant les instruments, le tabouret que tu tires du pied, le scialytique que tu feras descendre et monter dans l'axe de ton champ visuel.

Le corps de la femme est un autre point fixe, et tu en es un autre mobile.

Tu te tiens dans une zone bien précise, grossièrement triangulaire, délimitée à droite et à gauche par les cuisses écartelées et, derrière toi, par la machine — une sorte de cube métallique haut de 60 centimètres environ, monté sur roulettes et portant deux grands bocaux de verre.

Tu t'apprêtes à intervenir.

Debout derrière la machine, l'Agente te regarde verser une petite flaque d'alcool dans une de tes paumes et te frotter les mains ; elle te regarde prendre sur le drap bleu l'enveloppe talquée, la déplier, en sortir les gants stériles. Tu enfiles ceux-ci comme on te l'a appris, en les manipulant selon un rite bien précis, sans jamais toucher l'extérieur de tes doigts nus. Tu mets le gauche, puis le droit ; tu étires les manchettes, elles se rabattent avec un claquement caoutchouteux.

Du bout du pied tu attires le tabouret juste devant la bassine métallique. Tu t'assois. Tu demandes qu'on rapproche la table roulante. Tu saisis le spéculum posé sur le plateau, tu trempes son extrémité dans le liquide translucide, tu te penches vers le sexe de la femme *Je vous pose un spéculum* tu écartes les lèvres du bout des doigts, tu glisses les valves métalliques *C'est froid* dans l'orifice, en tournant lentement, en poussant doucement vers le bas *mais c'est pas méchant*. Une fois l'instrument en place, tu écartes les valves : tu cherches, au fond du tunnel ainsi formé, quelque chose qui ressemble au col utérin, une sorte de petit beignet rond, rose, centré d'un orifice parfois minuscule, parfois béant. Il arrive que le col se dérobe ; tu laisses alors le spéculum se refermer, tu le retires un peu, tu le repousses plus loin, plus bas, tu écartes à nouveau les valves, tu fouilles doucement la cavité élastique pour découvrir enfin la masse rose, plus à droite ou plus en haut que prévu. Une fois trouvée la bonne position, tu ajustes la crémaillère qui maintient les valves écartées. Derrière toi, l'Agente fait descendre le scialytique, et l'oriente dans l'axe du tunnel que tu viens d'ouvrir, pour te donner toute la lumière.

Tu examines le beignet rond, au fond du spéculum.

— *Avez-vous déjà eu un frottis du col, Madame ?*

De la main droite, tu prends sur le drap bleu la pince Longuette ; de la main gauche, tu plies une compresse stérile *Un frottis c'est un examen du col de l'utérus*, jusqu'à en faire une petite boule *ça sert à dépister des anomalies bénignes, qui peuvent plus tard devenir cancéreuses si on ne les soigne pas*, tu l'insères entre les mors de la pince, tu la trempes dans le liquide translucide.

— *Je vais maintenant désinfecter votre col avec du liquide antiseptique.*

A. se penche vers la dame en souriant.

— *C'est juste une petite toilette.*

Tu sors la compresse de la cupule ; tu la fais passer au-dessus du vide entre la table roulante et le corps de la femme en t'assurant qu'aucune goutte ne tombe avant qu'elle ne parvienne à l'entrée du tunnel.

— *C'est mouillé. C'est désagréable, mais ça non plus ça n'est pas méchant.*

Ton visage se trouve juste à la hauteur du spéculum. Au fond, la sphère rose du col est maculée de sécrétions épaisses. Tu frottes pendant quelques secondes. Tu retires la pince, tu libères la compresse usagée ; elle tombe entre tes jambes dans la bassine tapissée de plastique noir. Tu prends une autre compresse, tu recommences.

Cela fait un peu de mousse sur le col, ça laisse dans le fond du vagin un peu de liquide, que tu éponges de temps à autre avec une compresse sèche. Après avoir recommencé cinq ou six fois la même manœuvre, tu plonges une dernière compresse, cette fois-ci dans la cupule emplie de liquide rouge sombre. Tu peins le col, avant de laisser la compresse rougie choir à son tour dans le sac en plastique noir.

Tu reposes la Longuette sur le drap bleu.

Tu saisis à présent la Pozzi, cette longue pince d'acier terminée par deux crochets fins, et tu la glisses dans le spéculum.

— *Je vais vous demander de tousser.*

Surprise, la dame se tourne vers A., qui se penche vers elle.

— *Toussez fort !*

Tandis que tu refermes *C'est ça !* les crochets sur le col, la crémaillère de la Pozzi se bloque avec un cliquetis clair. Parfois, la dame sursaute.

— *Maintenant, je vais procéder à la dilatation. Ça, ça peut faire un peu mal...*

Les bougies sont de longues tubulures de caoutchouc, à l'extrémité renflée, pour la plupart orange et graduées, certaines toutes noires à la suite d'un passage trop vif à l'autoclave. Elles sont disposées sur le drap bleu dans une velléité d'ordre : la plus fine à droite, la plus grosse à gauche. Il y en a sept ou huit. Tu en prends une, choisie en tenant compte de l'aspect du col, de la date des dernières règles, des constatations de l'examen clinique. Tu l'introduis dans le tunnel sans toucher aux parois, tu poses le bout renflé au centre du beignet. De la main gauche tenant fermement la Pozzi tu tires le col vers toi *Inspirez profondément... Soufflez fort !* et tu pousses la bougie à travers l'orifice. D'abord, la tubulure pénètre sans difficulté, puis elle rencontre une résistance, que tu vaincs en forçant. Parfois, la dame sursaute. Pas toujours. Ça dépend des dames.

Tu retires la bougie. Tu la lèves devant tes yeux, tu la déplaces dans la lumière pour distinguer la traînée d'humidité couvrant son extrémité : tu évalues la profondeur de la cavité au vu des graduations sur le plastique orange.

— *Neuf.*
— *Ça correspond...*

Tu agis plus vite à présent : tu choisis trois ou quatre bougies de diamètre croissant, tu les pousses l'une après l'autre à travers l'orifice, pour dilater le col progressivement. Sur la table, la dame sursaute à chaque passage. Il arrive qu'elle laisse échapper de faibles gémissements.

Tu retires la dernière bougie. Tu la reposes sur le drap bleu.

Tu te lèves, tu écartes du pied le tabouret.

— *Le plus difficile est passé.*

Tu te retournes, tu ramasses le tuyau posé sur la machine à aspiration. L'Agente te présente un étui transparent qu'elle s'apprête à ouvrir.

— *Une sept ?*
— *Mmmhh.*

Elle pèle le sachet oblong, te tend l'extrémité de la sonde de Karman. C'est un long cylindre creux et translucide, souple, portant à l'une de ses extrémités deux bouches latérales asymétriques, à l'autre un embout de branchement.

Tu ajustes la sonde au manche du tuyau. Tu t'assures que la bague qui obture la prise d'air glisse sans effort. Si ce n'est pas le cas, tu demandes à l'Agente de verser quelques gouttes de savon translucide sur le manche, et tu fais jouer la bague deux ou trois fois pour lubrifier le métal.

Tu te retournes vers la femme et, tirant la Pozzi *Je passe la sonde d'aspiration* tu tâches de franchir le col. Parfois cela résiste un peu ; tu tires un peu plus fort sur la Pozzi, d'un mouvement de poignet tu fais tourner la sonde, tu pousses, tu passes enfin.

— *Voilà.*

Du coin de l'œil tu as vu l'Agente se pencher, poser la main sur l'interrupteur. Tu refermes d'une chiquenaude la bague de la prise d'air.

— *Allez-y.*

La machine se met à gronder.

Le grondement emplit la salle.

Les vibrations du moteur accompagnent tes gestes. Ta main va et vient d'avant en arrière, tirant poussant tournant. La Karman translucide s'emplit d'un liquide clair, de bulles, d'un magma de choses blanchâtres, puis d'une bouillie rosée, et ses parois se colorent peu à peu pour devenir bientôt presque uniformément rouges.

Ta main va et vient, tirant tournant poussant la sonde, afin que les deux bouches, là-bas au bout, se collent à toutes les faces de la cavité. Ta main va et vient, poussant tournant tirant dans le grondement de la machine, les borborygmes, les bruits de succion, les sifflements, et tu tâches de repérer ce qui s'écoule entre tes doigts, de reconnaître ce qui teinte les parois de la tubulure, de faire le point de ce qui est aspiré dans le tuyau, d'apprécier si tout se déroule comme tu t'y attends, comme prévu, comme d'habitude.

Tu tournes tu tires tu pousses, en un seul mouvement de poignet ; tu regardes la dame ; tu jettes un coup d'œil derrière toi, tes yeux suivent le tuyau jusqu'au bocal, prennent connaissance de ce qui l'emplit ; tu regardes la dame à nouveau ; tu surveilles le conjoint ou la mère ou l'amie ; tu regardes A. aussi, qui tient la main de la dame et lui parle *Il n'y en a plus pour long-temps* et te regarde faire, et son regard te dit que tout se déroule comme il se doit.

L'aspiration ne dure pas longtemps. Une minute ou deux en tout, peut-être. Le temps de t'assurer, à travers un faisceau de sensations familières, de signes spécifiques dont tu guettes l'apparition ou que tu recherches lorsqu'ils se font attendre, que l'utérus est bien vide.

Tu sais que lorsque la main va et vient trop facilement, lorsque la Karman glisse un peu trop bien, c'est que quelque chose là-bas ne veut pas se détacher, ne veut pas s'engager dans l'orifice. Alors, tu dégages d'une chiquenaude la bague de la prise d'air. Entre tes doigts un sifflement remplace les bruits de succion. Tu retires doucement la sonde, tu te penches vers le tunnel, tu regardes le col. Parfois, tu y découvres l'extrémité d'une chose blafarde. Tu te tournes alors vers l'Agente.

— *Vous me la tenez, s'il vous plaît.*

Elle te prend le tuyau, et le tient en l'air avec précaution, sans toucher à la sonde. La main gauche toujours arrimée à la Pozzi, tu te penches vers la table roulante, tu ramasses la Longuette, tu la glisses dans le spéculum et tu vas attra-per la chose qui sourd du col. La Longuette se referme avec un cliquetis métallique. Tu tires doucement. Du col surgit un fuseau nacré, une masse un peu gluante, informe, oblongue, qui glisse dans le spéculum suivie d'un ruisselet de sang. Tu tires la chose à l'extérieur, tu ouvres la pince et le fuseau tombe entre les cuisses écartées, dans le sac en plastique noir, au milieu des compresses usagées. Tu reposes la Longuette sur le champ bleu, tu te retournes pour récupérer le tuyau des mains de l'Agente. À nouveau tu te penches vers le tunnel, tu insères l'extrémité de la Karman au centre du beignet ; tu pousses, tu tournes, tu passes.

— *Allez-y.*

L'Agente remet l'aspiration en marche.

Au bout de la sonde la sensation n'est plus la même. C'est à présent la résistance que tu attendais, un raclement inaudible mais parfaitement perceptible à bout de doigt, et dont les mouvements du spéculum (maintenant comme solidaire de tes gestes), le visage un peu plus crispé de la dame (et parfois ses plaintes), et le hochement approbateur de A., confirment l'apparition. Tu tournes encore deux ou trois fois la sonde à petits coups de poignet. Tu repousses la bague de la prise d'air, tu te retires. L'Agente éteint la machine.

— *Une six, s'il vous plaît.*

Tu détaches la Karman sanguinolente, tu la laisses choir dans le sac en plastique noir, tu prends la sonde de plus faible calibre que te présente l'Agente, tu la fixes au tuyau d'aspiration.

— *Juste une petite pour contrôler et ce sera fini.*

Cette fois-ci, tu franchis le col sans difficulté. L'aspirateur se remet à gronder. Tu ne donnes que trois ou quatre mouvements de poignet, pour vérifier que la Karman racle bien toutes les faces, que l'aspiration a été complète, qu'il n'y a plus rien.

Quand la sonde est petite, une six ou une cinq,

tu vas et viens plus lentement : il te faut un peu plus d'attention pour sentir le raclement.

Tu libères une dernière fois la prise d'air.

— *C'est fini.*

L'Agente éteint la machine. Tu retires la Karman. Tu la détaches, tu la jettes dans la bassine métallique tapissée de plastique noir.

— *C'est terminé, Madame.*

Tu rends le tuyau d'aspiration à l'Agente. *Merci.* Tu lâches la Pozzi. Tu reprends la Longuette.

— *Je vais passer à nouveau quelques compresses de liquide antiseptique sur le col, comme tout à l'heure.*

Tu roules en boule une compresse stérile, tu recommences la toilette. À l'aide d'autres compresses, tu aspires le mélange de sang et d'antiseptique qui baigne le fond de la cavité. Tu ouvres la Pozzi, tu libères avec précaution le col de ses mors d'acier. Parfois, du sang se met à couler des plaies minuscules. Tu attires alors le tabouret, tu t'assois. Tu roules en boule une compresse sèche, tu la fixes sur la Longuette, tu la cales contre la plaie, tu appuies, tu attends patiemment que cela cesse de saigner.

Tu fixes une autre compresse sur la Longuette, tu la trempes dans la cupule emplie de liquide rouge sombre, tu badigeonnes une dernière fois le col. Une ultime goutte de sang perle au centre du beignet rose. D'abord brillante dans la lumière du scialytique, elle se fige et ternit pour former, sous tes yeux, un caillot minuscule qui scelle l'orifice.

— *C'est terminé.*

Tu dévisses la crémaillère du spéculum.

Tu retires *Ne serrez pas les fesses !* lentement l'instrument. Lorsqu'il est hors de la vulve, lorsqu'il se referme avec un petit bruit métallique, des lèvres encores béantes tu vois parfois s'écouler du liquide rouge ou orange : trace du badigeonnage final ou d'une morsure de la Pozzi. Tu te retournes encore, tu laisses tomber le spéculum un peu bruyamment sur la table roulante, tu saisis une compresse, tu essuies les lèvres rougies, tu éponges les dernières gouttes.

Derrière toi, l'Agente a débarrassé le tuyau de son manche métallique et l'a fixé sur la sortie d'eau. Elle fait tourner le robinet ; le flot rend au tuyau sa transparence, et bouillonne un bref instant dans le bocal. Elle coupe l'eau, débouche le bocal, le soulève, lui imprime un mouvement de rotation pour bien rincer les parois, se penche vers le profond évier et déverse le contenu au travers d'une petite passoire à trame fine.

A. retire le traversin de sous la nuque de la dame. Elle demande à celle-ci de poser ses pieds contre le bord des jambières, puis de se repousser se glisser s'étendre de tout son long sur la table d'examen. Elle pose la main sur son épaule, *Non, non, restez allongée, il n'y a pas le feu, reposez-vous un peu !* et elle place une serviette hygiénique contre le pubis de la dame, l'aide à enfiler son slip, tire le bas de la chemise de nuit sur les cuisses. Lorsque la dame est pâle ou douloureuse, A. lui prend le poignet, mesure le pouls un œil sur la montre, commente les sueurs ou l'envie de vomir.

— *Vous avez chaud. Dans quelques minutes ce sera passé. Ça fait encore mal ? Oui, le mal de ventre aussi aura bientôt disparu.*

Pendant ce temps, tu as jeté les gants dans le sac en plastique noir et, la main encore blanche de talc, tu dévisses le capuchon du stylo. Tu te penches sur le dossier d'intervention.

Tu écris : *Utérus rétroversé. Volume proportionnel au terme. Patiente calme. Karman 7 puis 6.*

Du coin de l'œil tu jettes un regard à la passoire posée, au fond de l'évier, sur le sommet d'un verre à pied.

Tu écris : *Une demi-passoire. Bon grattage*, au bas de la feuille blanche.

Tu signes. Tu soulèves le coin de la feuille pour accéder à la feuille orange que tu signes à son tour, ainsi que la feuille bleue. Derrière toi, A. aide la dame à se redresser, à s'asseoir sur la table, *Ça va aller ? Ça ne tourne pas ?* la soutient, l'aide à descendre. Tu vois la dame poser les pieds à terre, chercher des yeux ses chaussons ou ses mules, avancer vers la porte.

Tu repousses le dossier vers un coin de la paillasse.

— On va vous emmener vous reposer dans une chambre ; je repasserai vous voir dans un petit moment.

Parfois la dame répond *Merci Docteur*.

Elle sort au bras de A., le mari l'amie ou la sœur à leur suite. L'Agente rassemble les vêtements pendus dans la cabine de déshabillage, le sac, les chaussures, et sort les porter dans la chambre.

Tu refermes le stylo, tu le ranges dans la poche de la blouse. Tu saisis un flacon souple. Tu rinces tes mains sous un jet d'alcool.

L'Agente revient en salle pour préparer l'intervention suivante.

— La seconde dame n'est pas là ?

— Elle arrive, elle est aux toilettes.

L'Agente ôte de la table d'examen le drap taché, le plie et en recouvre le contenu du sac en plastique noir. Elle prend un large rouleau de papier, détache une bande de la bonne longueur en la découpant suivant les pointillés, et la dispose sur la table d'examen. Elle revient ensuite vers l'évier, soulève la passoire et se tourne vers toi.

— Vous avez vu ?

— Mmmhh...

— Je peux jeter ?

— Mmmhh...

Elle renverse la passoire au-dessus de l'orifice d'évacuation et fait couler l'eau par-dessus. Les fragments s'éparpillent, se diluent, disparaissent.

Tu sors dans le couloir.

G. ou J. sont venues demander comment ça

s'est passé. Elles s'enquièrent d'une dame vue quelques semaines auparavant, te donnent des indications sur une autre, te font part d'un cas à problème, t'instruisent d'une récente décision administrative.

Parfois, un des gynécologues qui consultent de l'autre côté de la porte traverse le service, vous salue, et, s'il te connaît, échange avec toi quelques mots.

Après avoir tout préparé à nouveau, l'Agente retourne ouvrir la porte de la salle d'attente. La dame suivante apparaît dans le couloir, son sac son panier à la main, seule ou suivie de quelqu'un d'autre, cherche dans quelle direction avancer, te regarde vaguement, reconnaît A. ou G., rencontrées quelques heures ou quelques jours auparavant. Tu la fais entrer devant toi, tu la guides de la voix et du bras tendu, tu la suis dans la salle d'examen.

Tu reçois le dossier des mains de l'Agente.

Tu le lis, tandis que derrière le rideau de la cabine la dame suivante entreprend de se déshabiller.

Les interventions sont terminées.

Tu sors de la salle de soins. Tu retournes voir les dames. Tu n'entres pas toujours dans les chambres. Tu pénètres parfois seulement dans l'office. Sur les vitres peintes élevées entre les chambres et l'office, une étroite bande a été laissée transparente, juste à hauteur des yeux. C'est par là que tu les regardes. Sur leur visage, tu cherches à lire si elles ont encore mal. Tu ne le devines pas toujours.

Cette fois-ci, les dames ont été couchées séparément, deux dans une chambre, la troisième dans l'autre. Le plus souvent, c'est A. qui décide de cette partition.

Aujourd'hui, c'est toi.

Aujourd'hui, tu repasses de l'office dans le couloir, du couloir dans la première chambre. Tu entres sans frapper. Les deux dames interrompent leur conversation et se tournent vers toi.

— *Est-ce que ça va mieux, Mesdames ?*
— *Oui, ça tire encore un peu mais ça va.*
— *Ça va… C'est pas pire que d'accoucher !*

— *On va vous donner à manger. Vous devez avoir faim.*

Elles hochent la tête en souriant.

— *Je vais revenir vous voir tout à l'heure.*

Tu refermes doucement la porte en sortant. Ta main est encore sur la poignée. L'une des Agentes passe devant toi pour entrer dans l'office.

— *Vous voudrez bien servir les dames ?*

— *Bien sûr ! C'est prêt... Vous avez des consultations, je crois ?*

— *Mmmhh...*

L'Agente entre dans l'office et en ressort presque aussitôt, tenant devant elle un plateau garni d'une tranche de pâté, d'un yaourt, d'un fruit, de pain et de beurre. Tu rouvres la porte de la chambre. Tu la refermes derrière elle.

Tu restes immobile un instant dans le couloir. Au-dessus de la porte du service, la pendule affiche deux heures vingt. Tu décides de ne pas entrer dans la seconde chambre.

Tu retournes au secrétariat. La porte de la salle d'attente est close. G. est occupée à dactylographier une lettre. Elle s'interrompt à ton entrée, prend dans un casier un formulaire ocre, le glisse devant toi.

— *Peux-tu me faire un arrêt de travail d'une journée pour Madame R. ?*

Tu signes.

Tu te penches par-dessus son épaule pour lire dans le semainier ouvert sur le bureau.

— *Les consultations sont arrivées ?*

— *La seconde, mais pas la première. La troisième a prévenu qu'elle ne serait pas ici avant quinze heures. Tiens, tu as oublié de signer cette feuille de statistiques. Tu prends la consultation avant de retourner voir les dames ?*

— Mmmhh...

— Son dossier est sur la paillasse.

Tu entres dans la salle de soins. Penchée sur un évier, l'autre Agente plonge ses mains gantées dans l'eau savonneuse.

Dans la salle d'examen, elles ont changé les draps, retiré le tapis de sol plastifié, repoussé dans son coin la machine à aspiration, lavé les bocaux, rincé et enroulé le tuyau de caoutchouc, épongé les carreaux blancs de la paillasse, nettoyé la passoire. La table roulante est rangée contre le mur. Sur le plateau métallique à présent nu, elles ont posé une boîte à spéculum. Le dossier cartonné t'attend sur la pile d'ordonnances et de feuilles de maladie, juste à gauche des boîtes oblongues refermant les Karman. Tu lis le nom de la première consultante. Tu retournes ouvrir la porte de la salle d'attente.

— Madame T...

Tu fais entrer la patiente devant toi. Tu la vois hésiter sur la direction à prendre ou marcher droit vers la salle d'examen, adresser au passage un imperceptible bonjour à l'Agente penchée sur son évier.

Elle entre, et tu dois parfois la retenir dans son élan, tu désignes la chaise placée entre la fenêtre et la table d'examen. Tu lui proposes de s'asseoir. Après avoir posé son imperméable ou son manteau sur le dossier, son sac à main par terre contre un pied de la chaise, elle s'installe et te suit du regard.

Pendant qu'elle contournait la table d'examen, tu as fait le tour par l'autre côté et ramassé sur la paillasse le dossier de consultation. Tu tires du pied le tabouret et tu t'assois à environ un mètre d'elle.

— *Que puis-je faire pour vous, Madame ?*

Le plus souvent, la patiente qui te fait face est déjà venue dans le service. Elle a eu, récemment ou autrefois, affaire à l'un ou l'autre des médecins vacataires ; peut-être à toi déjà. Elle revient consulter au bout de dix jours ou trois semaines ou quelques mois.

— *J'ai eu un avortement le 22 février, vous vous souvenez ?*

Tu ouvres le dossier, tu reconnais ton écriture. Tu dis que oui, tu la reconnais.

Ou bien, elle vient pour la première fois. Se faire poser un stérilet ou prescrire la pilule ; ou parce que *Je ne vois rien venir alors comme ce n'est pas possible en ce moment j'aimerais qu'on me dise si c'est bien ça* ; ou encore pour autre chose, *rapport à* son ventre, ses craintes, ses seins, son mari-compagnon-concubin-partenaire, son désir-d'être, peur-d'être, refus-définitif-d'être, décision-de-ne-pas-être en ce moment ou à nouveau ou jamais enceinte.

Elle vient pour l'une ou l'autre de ces mille et une raisons qui, sans être tout à fait identiques, ressemblent toujours un peu à ce que tu as entendu auparavant, à ce que tu entendras plus tard.

Elle vient parfois parce qu'on lui a conseillé de venir (Une amie. Sa mère. La sœur aînée. Le médecin de famille), mais le plus souvent parce que c'est ici qu'il faut venir. Ici que *ça se fait*.

Selon les circonstances, elle mêle à ses symptômes la description de ses difficultés financières, maritales ou contraceptives, *alors vous comprenez je voudrais savoir si c'est ça parce que je ne peux pas le garder.*

Ou bien elle récapitule — non sans peine — les événements survenus depuis la consultation, l'intervention quelques semaines ou quelques mois plus tôt. Elle reprend le fil d'un rituel sans histoire *C'est pour ma visite de stérilet ça va faire six mois que je suis venue,* ou d'un problème déjà plusieurs fois posé *Ça me brûle toujours vous savez, le traitement n'a rien fait.* Elle continue sur la lancée de ce que tu lui avais dit ou de ce qu'elle te disait alors.

Tu écoutes, tu interroges, tu fais préciser ; tu hoches la tête : Oui, tu penses. Non, tu ne penses pas. Tu finis par lui désigner la cabine.

— *Eh bien je vais vous examiner ; si vous voulez bien aller vous déshabiller...*

Cette fois-ci, tu es seul avec elle dans la salle d'examen. Elle fait bouger le rideau en ôtant ses vêtements. Le dos tourné à la cabine, penché au-dessus de la paillasse, tu jettes de brèves notes sur le bristol blanc, quelques mots résumant l'essence de ce qui vient d'être dit.

— *Est-ce que j'enlève le haut ?*

— *Oui, s'il vous plaît, il faut aussi que je vous examine les seins.*

Elle écarte le rideau, s'avance jusqu'à la table d'examen, retrouve la même hésitation que trois semaines ou six mois plus tôt en posant la main sur le drap en papier. Elle gravit les deux marches, s'assoit, pivote, place ses cuisses dans les jambières, s'étend, nue cette fois-ci, jambes écartées *Rapprochez-vous encore un tout petit peu du bord*, se glisse *Voilà !* se met en place et joint les mains sur son ventre ou les laisse le long du corps ou les pose pudiquement sur ses seins, en évitant de te regarder.

Tu commences toujours par prendre sa tension.
— *Douze huit...*
— *C'est bon ?*
— *C'est parfait.*
Elle frissonne lorsque tu poses le pavillon du stéthoscope sur sa poitrine. Tu cherches sa main. Instinctivement, elle la retire. Tu la rattrapes, tu saisis le poignet entre le pouce et l'index, tu prends son pouls en écoutant son cœur battre.
— *Respirez fort... Toussez !*
Ensuite, du plat des deux mains tu examines ses seins, méthodiquement, sur toute leur surface. Tu termines en pinçant délicatement le mamelon.
— *Vous arrive-t-il d'avoir mal aux seins au moment de vos règles ?*
Tu poses les mains sur son ventre. Tout en palpant son abdomen, tu t'enquiers de douleurs survenues ces derniers temps, de gêne en urinant, de constipation, de pertes, de brûlures. Tu lui demandes si ça fait mal *là*.
— *Vous n'avez pas mal non plus pendant les rapports ?*

Tu te retournes vers la table roulante. Tu ouvres la boîte métallique.

— *Je vais vous poser un spéculum pour examiner le col.*

Du bout des doigts de la main gauche, tu écartes les grandes lèvres *C'est froid*, tu glisses le museau nickelé entre les chairs roses *mais c'est pas méchant*.

Tu visses la crémaillère du spéculum. Tu fais descendre le scialytique, tu l'allumes. Tu examines le col.

— *On avait dit qu'on ferait un frottis cette fois-ci, je crois ?*

Tu attires le tabouret. Tu t'assois. Avec un long coton-tige et une spatule de bois tu frottes doucement l'orifice du beignet rose ; tu déposes l'humidité recueillie, les fragments invisibles, sur deux lames de verre ; tu les fixes d'un coup de pulvérisateur. Tu retires le spéculum, tu le déposes un peu bruyamment sur le plateau de la table roulante. Tu te lèves, tu repousses le tabouret.

Tu enfiles un doigtier.

— *Je vais maintenant examiner l'utérus et les ovaires.*

Tu sors du triangle des cuisses. Tu viens au côté de la patiente. Tu te penches au-dessus d'elle. De l'index et du majeur de la main gauche tu écartes les grandes lèvres. Tu glisses les deux doigts gantés de la main droite dans le vagin. Tu reviens poser la main gauche à plat sur son ventre.

Tu fouilles du bout des doigts, tu explores ses profondeurs, tu t'assures que les deux *amandes*, de chaque côté, sont presque imperceptibles ; tu essaies d'apprécier si la *petite poire* est vide, si elle a sa taille habituelle, ou si elle s'est gonflée, transformée, arrondie ; si, entre la main posée sur le ventre chaud et la main glissée dans le tunnel humide n'apparaît pas une masse un peu plus volumineuse, *orange* ou *pamplemousse*, comme il est écrit dans les livres, comme on l'entend dans les discours d'estrade des Professeurs en chaire, comme le récitent les étudiants pendant la Visite, au pied du lit des femmes rougissantes ou pâles, qui, allongées entre les draps blancs, attendent le verdict.

À la fin de la consultation tu raccompagnes la patiente jusqu'au secrétariat.

Tu déposes devant G. le dossier et l'ordonnance, tu indiques l'éventualité d'un prochain rendez-vous ou d'un examen à récupérer dans quelques jours.

— *Si vous n'entendez parler de rien, c'est que la prise de sang et le frottis sont normaux. Dans le cas contraire, on vous enverra une petite lettre. Au revoir, Madame.*

— *Merci Docteur. Au revoir.*

— *Je retourne voir les dames.*

— *D'accord. Tu me diras s'il y a des courriers à faire.*

Tu retournes dans la salle d'examen. Tu ramasses sur la paillasse les dossiers des dames et quelques ordonnances vierges.

Les dossiers sous le bras, tu entres sans frapper dans la première chambre. À ton entrée les dames lèvent vers toi leur visage jusqu'alors enfoui sous les draps ; ou bien, assises bien droites contre l'oreiller, elles posent leur yaourt ou abrègent la conversation en cours avec l'homme ou la femme assis près d'elles.

— *Messieurs dames…*

En te voyant chercher un siège, les dames font le geste de débarrasser la chaise qui se trouve près de leur lit, le mari l'amie se dressent pour t'offrir leur place.

Tu les arrêtes d'un geste.

— *Ne bougez pas. Je reviens.*

Tu poses les dossiers sur un des lits, tu repars chercher un tabouret dans l'office. Tu reviens le poser dans la chambre. Tu t'assois. Si l'une des tables roulantes est libre, tu la tires pour écrire. Si ce n'est pas le cas, tu croises les genoux, et tu poses tes feuilles dessus.

— *Est-ce que ça va ? Vous n'avez plus mal ?*

Elles répondent non, ou hochent la tête, ou posent une main sur leur ventre.

— *Un peu mais ça va.*

Tu ranges les dossiers ; tu laisses en dessous celui de la dame couchée dans l'autre chambre. Tu relèves la tête, tu portes un sourire amical aux deux dames et à leur compagnie.

Tu commences à leur parler.

Ce que tu dis, expliques-tu, les concerne toutes deux au même titre, à quelques détails près.

Tu précises les suites de l'intervention. Tu explicites la prescription pour un mois, d'*une pilule un peu forte mais c'est pour faire cicatriser l'utérus après l'aspiration* ; la consultation de contrôle dans trois semaines, *que peut parfaitement pratiquer votre médecin traitant bien entendu mais vous pouvez aussi revenir ici si vous le préférez* ;

le test, pour celle dont la grossesse était *vraiment très jeune. Quelques jours de retard seulement. Rassurez-vous, il est très rare que la grossesse continue malgré l'aspiration, mais ce qu'on retire est microscopique, et nous ne pouvons pas vérifier que l'œuf est bien dedans. C'est pourquoi l'on prescrit à titre systématique ce test de grossesse à faire dans trois semaines* ; les coliques parfois, au bout de quatre ou cinq jours, *et bien entendu vous pouvez prendre quelque chose pour la douleur* ; les saignements possibles ; l'absence éventuelle de règles, après les trois semaines de pilule, *mais si vous n'avez oublié aucun des comprimés il ne faut pas vous en formaliser* ; la liberté d'appeler le service si elles ont quoi que ce soit à demander.

Tu t'enquiers, sur un ton variable d'une vacation à l'autre, d'une dame à l'autre, de la raison pour laquelle elles n'utilisaient pas de contraception ces derniers mois. Il arrive, cependant, que tu n'aies pas le temps de poser la question. Elles te disent d'emblée avoir accouché il y a seulement trois mois et demi et *je pensais qu'en allaitant* ; ou qu'elles étaient *soignée pour les nerfs et les médicaments avec la pilule vous comprenez* ; ou que depuis le dernier *qui a maintenant douze ans on faisait attention mais là ça n'a pas marché* ; ou que depuis dix-huit mois elles vivaient *seule séparée et comme je n'avais presque pas de rapports vraiment je ne pensais pas* ; ou bien autre chose encore.

De temps à autre l'une d'entre elles dit avoir arrêté sa pilule ou fait enlever son stérilet pour avoir un autre enfant.

Et elle te donne d'autres bonnes raisons.

Tu laisses les paroles vibrer, les remords émerger, les sanglots poindre, les déballages de linge sale se faire. Tu relèves toujours ce que manifeste le visage de la dame.

— *Il est bien naturel d'être triste…*

ou :

— *Vous avez tout à fait le droit de pleurer !*

ou encore :

— *Vous êtes bouleversée, c'est bien compréhensible.*

Le moment venu, la tension retombée, tu précises d'un ton neutre que tu n'es pas ici pour décider du bien-fondé de leur décision, que la Loi les autorise à faire un choix toujours douloureux, que tu es persuadé qu'elles ne sont pas venues ici de gaieté de cœur.

Après un court silence, tu suggères d'une voix bienveillante que *cependant, il n'en serait pas moins souhaitable, à l'avenir…*

Elles ne manquent pas d'acquiescer.

Tu demandes si, d'aventure, elles n'auraient pas d'ores et déjà réfléchi à la méthode qu'elles utiliseront dorénavant. Tu les rassures tout de suite : avec ce que tu vas leur prescrire, elles n'auront pas de souci à se faire pendant les trois semaines qui viennent, et elles ont encore le temps d'y penser. Mais, pendant que vous êtes ici ensemble, il serait peut-être utile d'en parler, et si jamais elles veulent te poser des questions…

Tu attends patiemment, parfois plusieurs minutes, les questions éventuelles.

Lorsque le silence se fait trop pesant, et par

souci de décrispation, tu demandes à l'une d'elles si elle a déjà pris la pilule, à l'autre si on lui a déjà parlé du stérilet.

Il n'est pas rare que l'une des dames fasse du bout des lèvres ce petit bruit d'inspiration qui signale qu'on a quelque chose à demander :

— *Oui ? Vous vouliez dire ?*

Tu l'écoutes poser sa question.

Tu laisses s'exprimer les craintes envers la pilule qui *me porte sur les nerfs et je l'ai déjà prise longtemps*, comme la méfiance vis-à-vis du stérilet qui *bouge quand on perd du poids et une de mes amies ça ne lui a pas réussi*.

Tu souris paternellement.

Tu reprends, tu corriges, tu précises, tu expliques, tu donnes des repères, des moyens de peser le pour d'un stérilet *toujours en place même quand on a des rapports occasionnels*, et le contre d'une pilule *qu'on peut toujours oublier, la preuve*. Tu mets en garde contre le retrait, qui *n'a rien d'agréable pour personne et n'est pas une méthode de contraception*, tandis que les préservatifs *peuvent rendre service à l'occasion*.

Tu prodigues des conseils éclairés.

Tu insistes plusieurs fois au cours de la conversation sur le fait que (doigt pointé dans leur direction) c'est à elles de choisir (main sur ton cœur) pas au médecin. Tu t'appliques à donner les éléments du choix. Tu indiques que tu aimerais mieux — comme toutes les personnes présentes, n'est-ce pas — qu'elles ne reviennent pas ici dans les mêmes circonstances. Tu hoches la tête *Mmmhh* en les entendant dire qu'elles sont bien d'accord.

Lorsque l'une d'entre elles te le demande, ou quand le contenu de son dossier t'y incite, tu abordes le délicat problème de la ligature de trompes *parce qu'il est légitime d'en parler mais bien sûr il ne s'agit jamais d'une décision urgente, il faut que votre conjoint soit consulté, d'ailleurs nous proposons aussi bien de pratiquer une vasectomie, c'est-à-dire une section des déférents, ces petits canaux qui transportent les spermatozoïdes des testicules jusqu'à la verge. C'est pourquoi nous préférons toujours en parler avec le couple. La différence entre les deux interventions ne réside pas dans l'efficacité. Qui est identique. C'est plutôt qu'une ligature des trompes se fait sous anesthésie générale, et on vous garde une petite semaine à l'hôpital, tandis qu'une vasectomie se fait sous anesthésie locale, ça dure vingt, vingt-cinq minutes et le Monsieur ne reste à l'hôpital que deux ou trois heures. Comme vous aujourd'hui.*

Tu n'attends pas que le Monsieur présent te pose la question, tu ajoutes en souriant que lorsque l'intervention est mûrement réfléchie et librement acceptée, elle n'entraîne par la suite aucune difficulté psychologique ou sexuelle. Bien entendu. Autrement on ne la pratiquerait pas. Cela va sans dire, n'est-ce pas, mais cela va encore mieux en le disant...

Il arrive souvent que l'une ou l'autre des personnes présentes regrette à haute voix qu'on ne lui ait pas dit tout cela plus tôt.

Tu te laisses alors aller à commenter quelque

peu sévèrement l'attitude d'un médecin qui ne les a pas examinées *alors que je lui disais que je devais être enceinte mais il n'a jamais voulu me croire*, ou qui leur a interdit le stérilet *parce qu'il était contre*, ou qui omet à chaque fois de pratiquer des frottis du col.

— *Ce n'est pas très sérieux.*

Toi, tu l'es tellement plus.

Tu t'emploies avec un luxe d'efforts à démontrer la pertinence de tes conseils, la bienveillance de tes remarques, la sympathie que tu éprouves pour ces dames et la prévention que tu voudrais exercer à l'encontre de tous les dangers conceptionnels et de toutes les incompétences médicales qui sont tapies sur leur chemin. Il faut reconnaître que tu leur parles beaucoup, et qu'elles n'ont pas l'habitude qu'un médecin leur parle autant d'elles-mêmes. Elles ne se font d'ailleurs pas prier pour te le faire savoir.

Il faut admettre aussi que tu leur parles bien.

Tu parles, tu parles, tu parles, comme un père à des petites filles. Tu joues sur du velours. La situation ne leur permet guère d'adopter à ton égard une attitude plus posée. De temps en temps, tout de même, l'une d'entre elles observe un silence défiant. Tu choisis ostensiblement de la laisser libre de ne rien dire, tu insistes sur le fait que tu ne voudrais pas l'embêter, toi ce que tu en dis c'est pour elle.

— *N'est-ce pas, Mesdames ?*

Elles hochent la tête ; elles n'en doutent pas. Elles avaient si peur d'être mal reçues et on les a si bien accueillies. Toute l'équipe est si gentille.

Tu lèves la main modestement. Tous ceux qui travaillent dans le service, médecins, infirmières, Agentes, se sont portés volontaires à ce poste. Toute autre attitude de leur part serait inconcevable. C'est leur travail.

Tu finis par demander si elles ont d'autres questions à te poser *Non ? Et vous Madame ? Et vous Monsieur ?* à celle, celui assis à leur côté. Tu restes un instant silencieux tandis que les uns et les autres se regardent, te regardent, hochent la tête avec un sourire confus.

Tu rédiges les ordonnances, tu te lèves pour les leur donner, tu en commentes le contenu de deux phrases brèves. Tu ramasses les dossiers. Tu regardes ta montre. Tu arbores un dernier sourire.

— *Il est maintenant trois heures et quart. Vers quatre heures, si tout va bien, vous pouvez rentrer chez vous. Bonsoir Mesdames, bonsoir Monsieur.*

Tu quittes la chambre dans le doux murmure de leurs salutations reconnaissantes.

Tu frappes, avant d'entrer dans la seconde chambre.

La porte de la salle d'attente est ouverte.

A. est assise sur l'une des banquettes, un bras posé sur les épaules d'une femme plus jeune qu'elle, qui lève vers toi ses yeux rougis avant de se remettre à sangloter, le nez dans un mouchoir trempé.

Tu entres dans le secrétariat. Tu déposes les dossiers et le double des ordonnances devant G.

Elle te fait signer les courriers destinés aux médecins traitants.

— *Ça va, les dames ? Elles vont pouvoir s'en aller ?*

— *Mmmhh...*

Dans la salle de soins, les instruments trempent dans l'eau savonneuse ; les Agentes ont ouvert la fenêtre. Dans la salle d'examen, le tabouret, l'escabeau et la bassine (tapissée d'un sac en plastique noir flambant neuf), sont perchés sur la table dont on a retiré le drap ; le parquet luit du passage récent de la serpillière.

Tu déboutonnes la blouse. Tu fouilles toutes les

poches à la recherche de quelque papier oublié, tu récupères le stylo laqué dans la poche de poitrine, tu le serres un instant entre tes dents.

Tu ouvres le casier métallique. Tu ôtes la blouse, tu la pends au coin de la porte pour signifier qu'elle doit être envoyée à la lingerie. Tu enfiles ton pull jaune et, ayant ajusté le col de ta chemise, tu agrafes le stylo de manière à ce que le clip pince en même temps le pull et la chemise.

Tu remets ton écharpe. Tu enfiles le blouson. Tu tires la fermeture à glissière jusqu'à l'agrafe du stylo.

Tu ramasses le cartable posé au fond du casier, tu sors de la salle de soins et tu t'engages à droite dans le couloir, en lançant un au revoir à l'adresse de A. et G.

— *Au revoir Bruno, à mardi !* répond G. de son secrétariat.

A., toujours assise près de sa compagne éplorée, te sourit et, de sa main droite sur sa main gauche, exécute un mime d'écriture. Tu hoches la tête, tu la salues d'un geste.

Tu passes devant les chambres où les dames ramassent leurs affaires, devant la porte de l'office où les Agentes font la vaisselle.

— *Au revoir Mesdames, à mardi !*

— *Au revoir Monsieur !*

Tu entres dans le bureau de A., tu signes les bons de pharmacie qu'elle a laissés en évidence à ton intention.

Tu franchis la porte du service. Tu la tires derrière toi d'un geste sec, et elle se referme sans claquer.

Dans le couloir se tient un couple, lui debout un peu crispé, elle assise serrant son sac sur ses genoux, tous deux les yeux fixés sur la porte du bureau de J.

Tu passes devant eux avec un petit salut de la tête.

À mi-chemin du couloir, l'horloge électrique indique quatre heures dix. Agenouillé près du mur et d'un escabeau replié, un ouvrier range des outils dans une boîte à tiroirs.

À l'autre bout, une silhouette avachie sur son ventre rond et tendu se lève avec peine d'un profond fauteuil en voyant une femme vêtue de bleu s'avancer vers elle.

Tu marches sans hâte. Tu as tout ton temps. Tu pousses la double porte vitrée, tu descends les marches, tu franchis la porte de service et tu t'appliques à la refermer derrière toi.

Dehors, il fait soleil et froid.

Un petit vent balaie les allées de l'hôpital. Tu remontes la fermeture à glissière de ton blouson jusqu'en haut.

Tu longes le bâtiment jusqu'à la voiture. Au moment où tu ouvres la portière, une des deux Agentes referme la fenêtre de l'office et te fait un sourire avant de laisser retomber le rideau. Tu souris en réponse.

Tu te laisses choir sur le siège. La pendule du tableau de bord indique environ quatre heures quinze. Tu démarres.

En faisant ta manœuvre, tu remarques que l'une des pensionnaires du pavillon voisin t'observe de derrière ses vitres. Elle a les cheveux blancs en bataille. Elle a posé la main sur le carreau comme pour arrêter la lumière.

Tu roules lentement vers la sortie.

La barrière est levée. Tu la franchis. Tu avances lentement vers l'avenue. Tu hésites entre remonter vers la rocade et descendre vers le centre de Tourmens. Finalement tu choisis la ville et ses rues passantes.

Tu roules lentement ; tu respectes scrupuleusement toutes les priorités, tous les panneaux, tous les feux ; tu ralentis dès qu'un piéton s'approche de la chaussée ; tu actionnes tes clignotants longtemps à l'avance ; tu donnes de petits coups sur la pédale de frein pour indiquer aux véhicules qui te suivent que tu ralentis.

Tu remontes la rue Félix-Faure en direction du centre de Tourmens. À mi-chemin de la longue artère, tu cherches du regard un emplacement libre le long du trottoir. Tu en découvres un juste en face de la boulangerie. Tu te gares. Tu sors de la voiture, tu jettes un coup d'œil à la boutique et, comme elle semble déserte, tu ne verrouilles pas ta portière.

Tu traverses la rue. Un peu plus loin sur le trottoir d'en face se trouve une dame entre deux âges, aux cheveux teints. Elle est penchée sur un basset, et a entrepris de fixer la laisse de l'animal à un poteau métallique.

Tu gravis les deux marches de la boulangerie. La porte fait un bruit composite de verre qui vibre, de bois qui craque et de sonnette lointaine.

Au-delà du comptoir, un panneau orné d'une glace sans tain pivote pour laisser apparaître une femme un peu ronde, un peu triste, qui te regarde sans mot dire.

— *Je voudrais une baguette et deux pains pas trop cuits.*

— *Voilà. Dix soixante-dix…*

Derrière toi la porte vibre, craque et tinte.

— *C'est ça, merci, au revoir Monsieur.*

Tu ramasses le pain. Te voyant ainsi chargé, la dame aux cheveux teints qui n'a pas encore lâché la poignée rouvre la porte devant toi.

— *Merci, Madame !*

— *Bou-jour Madame Larmande ! Alors, vous n'avez pas votre petit chien aujourd'hui ?*

— *Si, mais il m'attend dehors…*

Tu traverses la rue. Sur le trottoir, le basset pousse des gémissements pénibles. Serrant le pain contre ta poitrine, tu ouvres la porte avant de ta voiture, tu glisses une main à l'intérieur pour déverrouiller la porte arrière ; tu déposes ton fardeau sur la banquette dans un nuage de farine.

Tu t'assois au volant. Ton blouson, ton écharpe sont recouverts de poussière blanche. Tu les essuies sans conviction. Tu redémarres d'une main, tu ajustes la ceinture de l'autre.

Tu reprends l'avenue Félix-Faure.

Un peu plus loin, un feu clignotant vient de virer au rouge. Après avoir pris un peu de vitesse, tu laisses la voiture avancer en roue libre. Pendant qu'elle s'approche du carrefour, tu glisses le bras derrière toi entre les sièges, tu tâtes la banquette et tu en ramènes la mince baguette de pain jaune et lourd. Tu la romps, tu en déposes une moitié sur le siège du passager, tu mords dans l'autre avec un soupir.

Au feu, entre deux miettes à épousseter, tu allumes la radio. Un couple parle d'amour ou s'invective. Ou les deux. Une fiction.

Le feu se remet à clignoter.

Tu repars à petite vitesse. Tu vas sans doute faire halte au Shogun, fouiner parmi les livres fraîchement arrivés. Et peut-être aller t'offrir un chocolat chaud chez Cosne.

Tu conduis d'une main. De l'autre, tu te remplis.

JEUDI

Tu t'es levé à 6 heures.

Tu as traversé la grande salle fraîche jusqu'à la cuisine ; tu as mis en marche la cafetière électrique prête depuis la veille. Ensuite, tu as fait ta toilette et tu t'es habillé.

Assis devant le café fumant, un œil sur la pendule, tu as déjeuné de galettes fines tartinées de confit d'amandes ou de fromage frais un peu salé. Tu as lu le journal de la veille, tu as jeté quelques notes sur un carré de papier, tu as écouté d'une oreille distraite la rediffusion d'un programme ancien sur la modulation de fréquence.

À 6 h 45 tu as bu la dernière gorgée de café, tu as posé l'assiette et le mazagran dans l'évier, tu as fait couler l'eau dessus. Tu as rangé les périssables dans le réfrigérateur, les galettes dans le buffet ; tu as plié ta serviette et essuyé la table d'un coup d'éponge.

Tu es monté dans le petit bureau, tu as vérifié que ton cartable contenait tout ce dont tu as besoin, et tu l'as fermé. Tu as jeté un coup d'œil circulaire à la pièce avant de fermer la porte et de redescendre.

Tu as mis ton écharpe, ton blouson. Tu as fouillé les poches de cuir l'une après l'autre, plusieurs fois de suite, sans trouver tes clés. Tu t'es mis à tourner dans la maison, tu as soulevé des journaux et des coussins avec une nervosité croissante, avant de découvrir le trousseau sur la serrure de la porte d'entrée.

Tu es retourné une dernière fois dans la chambre à coucher. L'air y était lourd de la nuit finissante. Tu as entrouvert la fenêtre. Tu as tiré le drap sur les épaules découvertes, posé un baiser sur le visage endormi. Tu as murmuré *À ce soir*. Tu as refermé la porte sans bruit.

Lorsque tu as poussé le volet de la porte-fenêtre, une ombre s'est glissée entre tes pieds.
— *Mmaawrrr... !*
— *Salut, toi !*
Tu as posé ton cartable et porté le chat jusqu'à son écuelle. Tu lui as brièvement gratté la nuque avant de te détourner.

Il faisait encore nuit. Quand tu as démarré, la pendule du tableau de bord indiquait environ sept heures cinq.

Il pleuvait. Tu as roulé sans hâte jusqu'à Tourmens. Tu as trouvé une place libre près de la gare. La même, d'ailleurs, que le jeudi précédent. Tu as placé ton caducée bien en évidence contre le pare-brise, verrouillé soigneusement les portières, et tu as traversé la rue en te retournant deux fois pour vérifier que tu n'avais pas laissé tes feux allumés.

Il était à peu près sept heures et demie à la haute pendule lorsque tu as pénétré dans le hall de la gare. Parmi les guichets libres, tu as choisi celui qui était tenu par une femme. Tu as demandé un aller-retour en exhibant ta carte demi-tarif.

Tu as ramassé ton billet et ta monnaie en souhaitant une bonne journée à la préposée. Tu as souri en voyant son étonnement.

Tu as composté ton billet. Tu es sorti sur le quai A. Tu as marché jusqu'au bout du train.

Comme tu l'espérais, la voiture de tête était vide. Tu as gravi les trois marches. Cette fois-ci, les tableaux de réservation ne portaient mention ni de classes en voyage accompagné, ni de groupes de retraités en visite touristique. Sans hésitation, tu es allé t'installer à la place 77. Le compartiment était chauffé. Tu n'aurais pas à rebrousser chemin vers une autre voiture.

Tu as ôté écharpe et blouson, tu les as rangés sur le porte-bagages, tu as posé ta carte demi-tarif et le billet du jour sur le siège voisin du tien.

Tu t'es assis, le cartable sur les genoux. Encore une fois, la mince sangle de tissu blanc qui enserre le dossier cartonné avait glissé sous le rabat et pendait, incongrue, sur le cuir mat.

Tu as sorti le dossier, tu l'as ouvert, tu as sorti puis séparé trois chemises semi-rigides, que tu as disposées sur trois sièges du compartiment. Tu as tiré d'un étui informe un stylo-plume au corps transparent, encore à moitié plein d'encre rouge.

Tu as refermé le dossier cartonné et tu t'en es servi comme plan de travail. Et puis tu as ouvert une des chemises, et tu t'es mis à lire.

Tu es en retard.

La voiture dévale (toujours en retard de toute façon. Pas moyen d'arriver à l'heure. Faudrait vouloir. Faudrait pouvoir. Quinze bornes, quand même. Bouffe en catastrophe au dernier moment, prie que le téléphone ne se mette pas à sonner *Allô Docteur pouvez venir tout de suite, mon fils est tombé dans la cour de l'école visage en sang le recoudre urgent venez,* et pas moyen de répondre *Non Madame désolé* (voix suave) *maizavortements n'attendent pas !* Bien envie de décrocher quand le steak grésille sur le sel crépitant poêle bien chaude. D'ailleurs, décroche parfois. Occupé ! Pas disponible ! En dérangement ! Parti !) guérite du gardien (demande jamais rien. Bagnole reconnaissable, bien crade de la boue des bouseux sur le blanc d'origine, caducée rouge, fond bleu passé au soleil. Demande rien, lève sa barrière, laisse passer, signe de tête, sait pas où va cette voiture mais sait sûrement que le gonze dedans vient tous les mardis. Enfin, régulier ; tête connue. Même quand il n'est pas rasé ! Mais rare, ça. Se fait pas. Avorteur pas rasé, pas vraiment acceptable. Encore que. Est-ce qu'elles regardent vraiment ?) le long du trottoir ('tit virage autour de 'tite chapelle, grande courbe autour de Gériatrie Sept, mamie penchée sur sa canne, visage posé vitreux vitrée vitrifiée) de la Maternité (sacrée topographie !)...

... portières sont verrouillées (pas comme le reste, tiens ! Steak mal cuit vin aigri estomac qui remonte... Ah ! pas oublier de glisser portefeuille et porte-monnaie dans le cartable en marchant. Peur qu'on fasse les poches, alors clic-clic petit coup de clé fermeture, pognon à l'abri, plus qu'à déposer le coffre de cuir sur la pile de blouses. Mais l'estomac lui, pas de verrou ! Et le café était de trop...) trois femmes en grande conv-(regard étonné. Et alors ? Pas l'habitude de voir un bon-homme rentrer par la porte de service aux heures de repas ? L'escalier est à tout le monde, non ?)-loir blanc.

À l'autre bout du couloir, la porte est entrou-verte. Pendue au plafond à mi-(clak-clak-clak ! résonne ce couloir. Les boueuses bottines s'en-tendent sûrement à l'autre bout... En tout cas, celles qui attendent entendent, et même bien, tous les bruits de pas. Espèrent ceux de celui celle qui les laisse poireauter là... Regard fatigué regard tendu, un monde entre elles. Et de quel côté vous trouvez-vous ? Pas de celui de la Bonne grosse pleine ronde avachie somnolente enfoncée regard lourd, mais de l'autre : Tête droite fesses serrées sac posé yeux mobiles à l'affût, de son bord à elle, oui, et même au-delà. C'est elle qui viendra de l'autre côté bientôt, ce bout-ci du couloir c'est rien que l'antichambre) se referme sans claquer (l'expérience, ça mon vieux, l'expérience !) bureau de A. est vide (pas malade encore j'espère, pas comme l'autre jour, l'autre année, sais plus bien quand. À peine arrivé dans le service : *Elle a téléphoné pour dire qu'elle a la grippe et elle demande que vous alliez la voir.* Merde alors ! Jamais malade, qu'est-ce qui lui prend ? Et pourquoi bibi ? Pas les *méssins* qui manquent dans son quartier. Déjà pas marrant sans elle, mais si en plus faut aller la soigner ! Manquerait plus qu'elle ait quelque chose de grave. Rappelle pour être sûr pas d'erreur. Allô ? ah bon... flageole tousse crache grelotte...

— *Oui avec la neige qu'il y a c'est fatal...*

Pas moyen d'y couper. Bâcle la vacation, repars quartier inconnu. Foutue neige. Obligé se garer à l'autre bout de la rue. Gêné, quand même en entrant. Pavillon tout ce qu'il y a de plus mignon. Intérieur soigné. Pas vu grand-chose. Passé en coup de vent. Consultations qui attendent. Coup d'stétho pour rassurer... Ouais, bon, pas grave, catalgine doliprane sirop et voilà ! et son chien mexicain toujours grimpé sur le lit fourré dans les pattes, *Ben dis donc t'as peur que je la morde, ou quoi ?...*

... Mmmnon, pas absente cette fois-ci : ses lunettes sont posées sur le bureau. Allée déjeuner, va pas tarder).

— *Bonjour Mesdames.*

— *Bonjour Monsieur. '-jour Bruno. '-vous du café ?* (Maman c'est pas vrai ! Et stomac qui fandangue et vas-y que j'te pousse) de son secrétariat, portant son regard fatigué (difficile d'en rajouter à côté, et puis tout le monde est fatigué, n'est-ce pas ? Va pas s'plaindre aussi. Allez ! Sourire cheese un peu crispé mais ferme et résolu, quand même ! Et retraite loin des odeurs de robusta bouilli et de rillettes froides) coup d'œil à droite. La porte de la salle d'attente est ouv-(Merde, merde, merde !)-rçois deux jambes, chaus-(pas possible, c'est l'Lido ici !)-res à talons hauts, collant fantaisie, jupe de cuir au-dessus du genou.

Tu te glisses dans la salle de soins ; tu refermes la porte derrière toi.

À dire vrai, tu n'as jamais résolu de transcrire la vacation, de la poser sur des lignes. Mais tu l'as toujours fait. Depuis le début.

Depuis les premières séances d'apprentissage, debout derrière D. qui officiait de ses doigts courts (et tu revois très précisément la façon dont il plie une compresse avant de refermer sur elle les mors de la Longuette) ; depuis le jour qui t'a vu sortir de la salle d'examen le ventre serré et douloureux (et ce jour-là pourtant tu ne tenais pas le tuyau) ; depuis la première fois que tu es intervenu seul.

De cette première fois, étrangement, tu n'as pas de souvenir précis. Tu te souviens très bien, en revanche, du jour où on t'a proposé la vacation. Tu revois, tu peux presque reproduire ton mouvement de recul. *Ne me demandez pas ça.* Pourtant, et bien que ta mémoire se refuse à en restituer les circonstances ou tes motifs, tu es un jour venu voir, tu as accepté d'apprendre. Et tu te souviens très bien, même après que ta capacité à travailler seul eut été reconnue par tous, avoir longtemps exigé que D. restât présent dans la salle de soins pendant tes interventions.

Mais qu'il s'agisse d'images précises ou de souvenirs reconstruits, tes passages dans le service ont presque tous laissé une trace écrite quelque part dans le fouillis de tes papiers.

Cela s'est fait insensiblement, cela s'est mis en place sans heurt, comme tous les autres gestes : la vacation terminée, tu laissais derrière toi le service et ses murs blancs, la table d'examen et son drap propre, les chambres vides dans lesquelles les Agentes faisaient les lits, la salle d'attente déserte et G. penchée sur les dossiers à archiver. Tu retournais vers ton cabinet médical de campagne, un lieu de travail calme où presque personne alors ne venait te déranger et, encore empreint des trois heures écoulées malgré les douze kilomètres de trajet, malgré la fin d'une pièce radiophonique écoutée dans la voiture, malgré la pluie ou le beau soleil (et, parfois, l'heureuse impression de vacances, quand tu constatais en poussant la porte que cette salle d'attente-ci était vide), tu te retrouvais sans objet, engourdi, le dos moite, les paumes gluantes, comme recouvert d'une pellicule en train de se solidifier.

Tu t'asseyais au bureau, tu prenais une feuille ou un cahier, deux ou trois encarts publicitaires retirés d'un paquet d'ordonnances, et tu écrivais.

Des notes, des bribes : sous une date une phrase, dix mots pour fixer un détail, l'expression d'un visage, une pensée incongrue, des paroles entendues dans la chambre, *après*.

Sans le savoir, tu collectais les traces de ton passage là-bas, marques minuscules de ce qui s'était passé, souvenir des vibrations de la machine, mots du mal de ventre de trois ou quatre femmes, image de quelques compresses souillées de sang sous le drap de papier froissé, dans la poubelle tapissée d'un sac en plastique noir.

Tu ne te demandais pas pourquoi le besoin de transcrire cette expérience hebdomadaire t'habitait. Tu relevais des traces. Seulement, elles n'étaient pas du même ordre que les quatre ordonnances et les trois bulletins statistiques portant ta signature.

Peu à peu, cela fit partie du rituel.

Bien qu'il y eût, dans le déroulement de chaque vacation, quelques moments de flottement, d'inactivité, tu n'écrivais qu'après avoir franchi la sortie du service. Une fois installé dans le véhicule, tu fonctionnais en automate. Tu te transportais à distance, tu prenais du champ. Tu fuyais l'enceinte de l'hôpital et, roulant sur la rocade, le souvenir des vibrations de la machine noyé dans les vibrations du volant, tu pouvais enfin laisser échapper un soupir. Tôt ou tard, tu ressortais ton stylo, tu trouvais un support et tu écrivais. Tes gestes perpétrés *là-bas*, tu en reportais les ombres dans un *ici* de l'écriture, quand bien même l'*ici* n'était-il (et il le fut souvent) que l'habitacle de ta voiture immobilisée au bord de la route.

Déjà, l'oubli t'était intolérable. Tu ne supportais pas l'idée que, de ces trois heures hebdomadaires, rien ne survive, sinon des fragments éparpillés dans une demi-douzaine de mémoires. Tu voulais écrire avant que tout ne s'estompe, ne s'évapore sous le beau soleil dans la salle d'attente vide, ou face aux patients impatients assis ruisselants dans l'air humide des radiateurs électriques.

Oui, seul enfin, tu appuyais ton cahier sur le volant, ou tu murmurais en roulant quelques mots dans un enregistreur portatif ; tu griffonnais sur la serviette en papier qu'on venait de déposer devant toi près d'une tasse de chocolat fumant à la terrasse d'un café de la ville, ou tu te calais contre le bord de ton bureau, pour t'ébrouer sur le papier. Chien mouillé, tu te défaisais de ce qui t'imbibait le poil, pour ne t'interrompre qu'une fois sec, ou du moins suffisamment essoré pour envisager le retour au monde.

Les mots délivrés, tu les enfermais dans un dossier cartonné toujours rangé dans ton cartable, et tu les oubliais.

En notant à la va-vite, sans ordre ni calcul, tu ignorais qu'il te faudrait plus tard replonger dans tout ce fatras poussiéreux.

Tu n'imaginais pas que, sous l'effet d'une pulsion aussi inattendue qu'indéfinissable, tu rouvrirais le dossier pour en sortir une à une les feuilles volantes, tu tirerais les cahiers de l'étagère, tu réécouterais avec étonnement les bandes rangées dans un tiroir.

Une fois encore, le temps t'a fait parcourir un chemin imprévisible.

Un jour, tu ne sais plus quand, tu as découvert avoir amassé un millier de fragments dépareillés : sexes ouverts, lueurs métalliques, formes blafardes, regards vides, taches obscènes, sourires inattendus ; une flaque de sueur comme une mare sur un ventre, la lettre ignoble d'un médecin ignorant, une voix sans force au fond d'un lit, l'odeur des croissants ramollis et du café réchauffé, après les anesthésies générales...

En lisant pour la première fois ces mots étrangers, tu ne les as pas reconnus, comme si tu avais été un sculpteur contemplant les éclats de roche tombés d'un bloc disparu, et se souvenant à peine l'avoir autrefois travaillé. Tout cela ne voulait rien dire. Les notes, les lignes irrégulières, les paroles assourdies reposaient devant toi sur la table comme les pièces d'un puzzle dont tu ne connaissais pas la figure finale, comme les éléments disparates d'un kit auquel manquait le schéma de montage.

Et puis, au fil des mots, tu as perçu le clapotis infime d'une chose depuis longtemps présente, goutte à goutte accumulée au sein d'un espace jusqu'ici ignoré, condensée à ton insu jusqu'au moment de se faire connaître.

Tu as dû te rendre à l'évidence : cette chose existe en toi, envahissante, elle s'est nourrie de ce que tu entends et fais et vois, et se manifeste enfin à ta conscience.

Elle vibre, elle remue, et tu ne sais pas très bien quoi en faire, quoi en dire ; tu sais seulement que chaque vacation la fait croître encore, que chaque visage de femme la fait tressaillir, que chaque émotion qui t'emplit en est irrémédiablement teintée.

Désormais, lorsque tu te retrouves assis devant un cahier, une feuille, ou une machine à écrire, ce n'est pas juste *après*. Le temps est venu de mettre au jour ce qui peu à peu t'a empli, d'assembler ce qui s'est déposé hors de toi.

Tu es seul dans la salle de (va pas durer, chiche qu'elles débarquent, l'une ou l'autre :

— *On peut faire entrer la première dame ?*

— *Oui, quand j'aurai fini de mettre ma blouse ! Ça vous ennuie pas trop que je prenne le temps de me déshabiller, elles peuvent peut-être attendre deux minutes de plus ? J'ai le droit de souffler quand même...* et le regard dézzollé ressort, referme la porte vite fait comme si elle t'avait vu à poil. Tout comme, remarque. Regarde pas les dames se déshabiller derrière leur rideau ? Alors... Le bourreau aussi a droit au déshabillage privé) ôtes le pull ; tu le ranges (pas la place, dans ce casier. Pull fripé, écharpe en boule. Comment font les autres ? Ils enlèvent sûrement pas leur cravate... Bon alors, adieu le costume officieux, bonjour la blouse d'officiant. Tipteptap bouton-pression et merde ! Poche piège-à-con décousue, pas solide ça... Non mais c'est pas vrai, c'est la même ! La semaine dernière, foutu la montre par terre deux fois de suite. Tire au hasard et rebelote ! Même poche trouée, vu que du feu les lingères ! Jamais le loto mais les trous tant que tu veux. Allez, direction lingerie sans passer par la case départ. À voir l'autre. Mmmouais, fois-ci la bonne. Tipteptap, col frappé, docteur marqué, stylo laqué, c'est tout bon) dans le couloir.

Tu retournes au bureau de A. La porte (revenue, pas trop tôt !) *vas-tu Bruno ?*

— *Ça va. Et vous ?*

— *Ça va bien ! Nous avons trois dames aujourd'hui et il me semble que l'une d'entre elles est déjà* (revenante. Connue ? Dirait pas. Nom dit rien) *semblait bien* (carton rose pastille rouge) *deux fois* (et vous nous reprendrez bien une nouvelle tranche de vif... Qui c'est qui s'y colle cette fois-ci ? Le bon petit Docteur Sachs sur le dossier orange sous le nom des confrères les fois d'avant. Brave Bruno si gentil si doux attentionné, soupirant aspirant inspiré. Une veine, ma bonne dame, d'avoir affaire à lui...*) rejoins tout de suite.*

Tu te détournes pendant qu'A. referme le fich-(clang !   Pas-la-peine-de-vous-cacher-on-vous-a-vue ! On coupe au discours de présentation *vous a expliqué comment ça se passe, non ? Alors je vous* sait déjà, rien à apprendre de plus, pressée d'en finir)-tion des instruments. Tu vas au lava-(ouyayayay-manmanbobo !   Bravo   l'antisepsie originale brevetée ministère de la Santé : on livre les opérateurs comme les homards, sortis de l'eau bouillante juste à point, si les microbes sont encore vivants avec çaaahhh- -) un long moment sous le filet (- -pfff la chair rouge. On va encore demander si l'a pas de l'eczéma le Docteur, *Pourtant un Docteur ça doit savoir se soigner* et que j'te regarde les mains avec satisfaction, c'est pas parce qu'on a mal quand on vient vous voir qu'on a pas le droit de se réjouir de vos petites misères de privilégié pas immunisé) tubulures graduées qu'elle dispose sur le drap (encore la moitié noircie par l'autoclave, carbonisées, comme ça peux rien voir. Si la profondeur colle pas, gros-jean comme devant ; falloir faire des acrobaties encore : trier comparer reprendre ; et pis ça fait pas net, ces tuyaux pas tous de la même couleur : deux orange trois noirs un marron foncé moins cramé que les autres, tous tordus tournés branches de bonsaï en caoutchouc sortis du sein de la stérilisa(ha)tion, si les bougies pouvaient parler qu'est-ce qu'elles raconteraient, que pourraient-elles rapporter de leurs voyages aux profondeurs ?) une grande pince, en sort une Pozzi (cling !) une Longuette (clong ! Atttttention à la ménagère Marinette, elle me vient de ma grand-tante !) prendre sous la table deux étuis de cellophane fermés hermétique-(flop ! font les compresses sur le champ bleu. Tout autre bruit, dans le plastique noir tout à l'heure. Les choses vivent et changent et meurent, et c'est au bruit qu'elles font quand on les jette qu'on le comprend) *sept et demi pour vous je crois ?*

— *Mmmhh.*

Elle épluche une longue enveloppe (touche finale, mains fantômes, pas d'empreintes, pas de traces, Lady Macbeth désuète : aujourd'hui les assassins se lavent les mains Aaavant) *faire entrer la première dame ?*

— *Mmmhh.*

Comme toujours, tu as procédé dans les règles.

Tu as entrepris d'ordonner (c'est si rassurant) tout ce qui, pensais-tu, te permettrait de décrire au plus près le contenu d'une vacation, son déroulement, le détail des objets que tu y manipules, la plus infime anecdote qui l'ait émaillée.

Tu as commencé par rassembler tous les fragments : carrés de papier de couleur, feuilles volantes, feuillets d'agenda ; les supports de fortune : tickets de train, marges de journal, serviettes en papier, dos d'enveloppes ; les trois ou quatre cassettes de petit format auxquelles tu avais confié quelques intuitions impromptues et lumineuses ; les cahiers.

Ensuite, tu as fait l'inventaire de quelques objets : tout un dossier d'intervention vierge, auquel rien ne manque, pas même la feuille jaune de conseils donnée aux dames à la sortie ; une Karman n° 7, intacte dans son étui stérile ; un gant gauche qui n'a jamais servi ; un mouchoir trouvé dans la cabine de déshabillage et que, pour des raisons oubliées, tu n'as pas remis à sa propriétaire (du moins es-tu certain qu'elle n'a pas pleuré devant toi : tu le lui aurais alors restitué. Certainement) ; un stérilet déconditionné ; un compte-rendu et des clichés d'échographie que tu n'as pas rendus (tu ne le fais jamais) à celle qui les avait apportés, mais que tu n'as pas non plus déchirés, pour une fois.

Tous ces objets, tu les avais recueillis l'un après l'autre, par on ne sait quel désir de garder des pièces à conviction, des preuves de ton passage là-bas, des indices qui ne seraient pas tes seuls écrits. Paradoxalement, tu sais que ces indices n'ont pas, en l'état, valeur de témoignage : ce serait peut-être le cas s'ils avaient pris part à l'action mais, bien sûr, il n'en est rien. Comment, en effet, imaginer la présence sur ton bureau d'une Karman usagée ou d'un gant retourné, dehors poudré de blanc, dedans taché de rouge ? Non, décidément, tous fantasmes enterrés (ou mis à plat sur le papier), tu t'es fait à l'idée que ces accessoires ne parleraient de la vacation qu'en creux.

(Un temps, tu avais aussi envisagé de prendre des photos de la salle, des couloirs, des chambres, de l'horloge au plafond, des sièges, de la table roulante, tant il te paraissait nécessaire que ton récit fût d'une précision indiscutable. Tu as fini par abandonner cette idée, moins d'ailleurs par le désir de « ne faire travailler que la mémoire » (comme tu le prétendras plus tard), que par un trouble sentiment d'indécence qui ne cessera jamais de t'accompagner tout au long de ton entreprise.)

Ensuite, tu as relu chaque ligne. Tu as recopié chaque fragment, l'un après l'autre, sur de grandes feuilles blanches.

Ce faisant, tu t'interdisais de modifier quoi que ce fût à ce que tu appelais ton « matériau ». Tu t'efforçais de respecter chaque virgule, chaque phrase inachevée ; les mots qui furent un jour l'expression d'émotions intenses, tu les reproduisais précisément, même lorsqu'ils ne signifiaient plus rien. De même, tu as retranscrit sans tricher tes monologues sonores, enregistrés le plus souvent dans la voiture sur le trajet du retour. Lorsque les bruits de fond t'interdisaient de comprendre certains mots, à leur place tu écrivais « *Inintelligible* ».

Avec ces dépôts de sens, tu t'es comporté comme un archéologue. Tu as tout manipulé du bout des doigts, avec des ciseaux, de la colle, une gomme et un crayon. Avec des pincettes.

Tu te laissais porter par ce sentiment que les mille et un éléments exhumés à ce jour étaient sortis droit du fond de ton être. Si quelque chose devait naître de ce matériau, sa vitalité résidait avant tout dans une authenticité que tu ne voulais en rien risquer de trahir.

Pointilleux et opiniâtre, tu as pris ton temps. Une fois achevé ton labeur de copiste, tu as numéroté les feuillets et les pages des cahiers, rapproché ce qui paraissait similaire, regroupé ce qui semblait voisin, établi des correspondances, schématisé des tendances, et consigné tes impressions sur un carnet réservé exclusivement à cet effet.

Enfin, tu as considéré le résultat obtenu et, avec une certaine satisfaction, tu as trouvé que ce n'était pas mal.

Tu entends l'Agente, là-bas, ouvrir la porte de la salle d'attente.

— *Venez Madame ! Voulez-vous venir, Monsieur ? Non ? Il préf-*(pas de cran, peur de voir, de savoir, d'avoir le nez dessus. Préfère rester avec son Paris-Match, princesse en vacances Acapulco seins nus bellâtre aux côtés... Bien raison, tiens ! Pas la peine de venir, si c'est pour tomber dans les pommes pendant que la dame déguste... Marrant, zont souvent une petite moustache ceux-là, ceux qui pâlissent, ceux qui tournent de l'œil, ceux qui demandent à sortir ; zentrent dans la pièce sans rien dire, suivent leur femme savent pas où se mettre, et elle : *Tu es sûr que tu veux venir ? Tu crois vraiment ?* et à nous : *Il ne va pas le supporter, déjà aux accouchements...*) *Bonjour Docteur* (normal : seul mec blouse blanche panonceau sur le torse, mains encore humides dans la serviette avant le crime donc c'est lui pas de doute)-tit panier (mignon, doit faire ses courses avec, à la superette, mais cette fois-ci sac vide au retour, rentrera plus légère qu'auparavant, délestée débarrassée de ce poids vivant incongru. On est prié de déposer ses armes ses larmes à l'entrée)-*mise de nuit ?*

— *Oh, non, j'ai oublié...*

(Parfois elle a un joli visage *Tenez !* et elle ressort de la cabine les seins gonflés tendus sous la chemise à peine boutonnée ou le ticheurte bariolé qui flotte très court en haut des cuisses ; ou bien c'est une laide ou juste pas belle, *J'enlève que le bas ?* qui garde le soutif et ressort mains devant serrant les pans de la chemise à fleurs réglementaire, ou recouverte jusqu'aux chevilles d'un truc à dentelles décolleté vaguement transparent couleur compassée, et on voit d'ici la chambre à coucher : laquée noire, un radioréveil encastré de chaque côté de la tête de lit (manque plus que les bandes jaunes) et au mur juste au-dessus le tableau de femme nue grand seins roses pubis blond gagné à la kermesse, ou pire : acheté) d'un pied sur l'autre, regard tournant (pauv'père ! Faut qu'il se r'père, qu'il réfléchisse s'il a bien fait d'entrer, regard vide vers la blouse blanche *Asseyez-vous là, Monsieur !* Le neutraliser un moment) les lignes. Tu ne relèves que certaines informa-(parfois « chômage/vendeuse », ou « chômage/sans prof. », ou seulement « chômage » et rien avant, ni après. Donc ce n'est que d'elle qu'il s'agit, et les trois quatre cinq dates de naissance (soupir, secoue la tête quand y'en a tant que G. a dû écrire la suite sous la ligne, et qu'à la ligne encore en dessous (antécédents IVG) et sur le rabat du dossier orange il y a déjà deux trois dates, avec le nom des confrères, bien propre écrit au traceur, et bientôt ce soir demain celui du bon Docteur Sachs troisième quatrième sur la liste. Manquerait plus qu'elle trouve le moyen de revenir avec bibi la prochaine fois *Le même il est si gentil, pas brutal, m'a tout expliqué...* Oh ! pour l'amour du ciel) indiquées à la rubrique « Âge des enfants » ne concernent qu'elle. D'ailleurs en général elles viennent seules forcément, mais là c'est, mettons : « conducteur de travaux/ sans prof. », douze douze cinquante-quatre, deux enfants, déjà venue 1981 Dr D.) fouillis de rubriques, de colonnes et de lignes recto verso, de cases numéro-(ça en fait des chiffres, un ventre vidé ! Papier officiel, statistique, épidémiologique, aussi important que les certifs décès. Sauf qu'ici la cause est connue. Pas ça qu'on veut savoir, mais d'où elle vient, qui elle est, est-ce qu'elle a déjà donné à la Patrie dix cases pour les grossesses antérieures ? et : *C) — S'il s'agit d'une interruption volontaire de grossesse pour motif* **strictement** *thérapeutique, c'est-à-dire avec attestation de deux médecins* (pour avorter, un seul suffit) *préciser le motif : 1° risque pour la femme, 2° risque pour l'enfant à naître...* et 3° risque pour le père qui devra l'entretenir, 4° risque pour les médecins qui devront soigner les pneumonies, les infirmières frotter les escarres, les aides-soignantes torcher l'incontinence, 5° risque pour le porte-monnaie de la collectivité, 6° risque (pour les camarades de classe) d'une contamination par l'imbécile salive dégoulinante)...

... feuille est bleu pâle, elle porte deux fois la signa-(gribouillis chiure de mouche écriture enfantine avec deux boucles autour comme pour se protéger de tout) *confirme ma demande d'inter-* (qu'en termes élégants)...

... sur papier à en-tête (aux deux tiers illisible. *Dern. règ. 22/02*, Ah ! Donc, ça urge un peu. *Pas examinée*, Salaud ! *Vous la confie*, Mais comment donc, et ça se dit médecin... Bon alors, qu'est-ce qu'elle fabrique ? Elle attend qu'on *Vous pouvez venir quand vous voulez, Madame* gèle sur pied ? Ah, la voilà. *Venez par ici, n'ayez pas peur.* Non, toi mon bonhomme, tu bouges pas ! D'ailleurs, le regard qu'elle te jette... assis comme une andouille la petite sacoche carrée sur les genoux à la regarder venir vers la table à pas comptés sans savoir si tu dois rester collé le cul là, sur le skaï, ou te lever. Eh oui, c'est elle qui va monter aujourd'hui. Toi, tu restes en bas et c'est un autre homme qui *Takk-takk ! Votre billet, je vous prie !*

— *Hein ? Quoi ?*

— *Contrôle des billets, Monsieur !*

— *Ah, oui...* (Qu'est-ce qui lui prend de débarquer comme ça sans prévenir le con fait peur dedieu bazar l'andouille !... Foutu cette carte ? Pas la peine train si tôt pas moyen d'être tranquille)

— *Tenez !*

— *Merci ! Vous... savez que nous prenons encore des passagers, un peu plus loin ?*

— *Oui. Eh bien ?*

— *Il ne faudra pas laisser les rideaux tirés comme ça.*

— *Mmmhh. Vous inquiétez pas, je ferai de la place.*

(Ducon. De quoi j'me mêle. Pauv'mec à la noix sait pas reconnaître quelqu'un qui travaille ?)...

— *Bon voyage, Monsieur...*

— *Mmmhh...* (C'est ça, oui. Bon, alors...)

— *Venez, Madame.*

Tu lui souris, tu fais deux pas dans sa direction ; tu l'invites à s'approcher.

À mesure que tu passais en revue ce qui était déjà écrit, tu cherchais à distinguer tout ce que les mots cachaient (la table, sous le corps de la femme allongée ; la salle, où l'Agente avec ses pinces métalliques déplie le drap bleu stérile puis, parce qu'elle l'a fait effleurer le bord de la paillasse, le roule en boule, le jette et, en maugréant, en ressort un second ; la voix de G. au téléphone, *Depuis quand n'avez-vous pas eu vos règles ? Alors ça fait presque douze semaines. Préférez-vous être endormie ?... C'est comme vous voulez, mais les anesthésies générales n'ont lieu que deux jours par semaine. On vous garde la journée, vous rentrez chez vous le soir... Oui, alors il vaut mieux que vous veniez d'abord en consultation. Demain, est-ce que ça vous irait ?*), et qui n'était qu'images brouillées dans ta mémoire.

Ces objets, ces paroles, ces gestes répétés d'un mardi à l'autre, constituaient à tes yeux le tissu de soutien de la vacation, et tu voulais les rendre lisibles. Il fallait préciser leurs contours à l'écriture. Les exposer, sans pour autant trahir leur vérité.

Et, plus encore que par la précision, tu étais obsédé par le désir d'être exhaustif.

Tu fis des listes, une énumération un peu mécanique des éléments, des événements, des questions, des réflexions qui devraient apparaître. Tu te mis à souligner ce qu'il ne faudrait ni oublier, ni passer sous silence. Tu t'attachas à évoquer la vacation dans les plus infimes détails de sa topographie, de sa chronologie. Afin que rien ne manquât.

La salle

Les feuilles du dossier (l'étonnement en confrontant leurs traits à leur date de naissance. Elles n'ont pas le visage de leur âge, pas le visage de leur vie. Elles font toujours plus jeune ou plus vieux, elles n'ont jamais le nombre d'enfants ou le compagnon qu'on leur aurait attribué. Elles viennent seules, alors qu'on attendait quelqu'un avec elles. Elles entrent accompagnées, alors qu'on pensait qu'il resterait dehors)

Le toucher vaginal (parfois oublié avant d'avoir enfilé les gants, obligé alors de chausser un doigtier par dessus, double épaisseur plastique)

La pose du spéculum

Le badigeonnage du col

Les crocs de la Pozzi

La dilatation (les bougies orange)

La sonde d'aspiration choisie toujours trop grosse dans les premiers temps, à présent souvent trop petite. Rarement le bon calibre du premier coup

Le bruit de la machine

La position d'aspiration (dans un film « militant » sur la technique Karman, un type officiait assis entre les cuisses écartées, l'air un peu absent, pas concerné, sans blouse (pour faire « démédicalisé » ?), ses manchettes à peine remontées repliées sur les manches du pull. Ça faisait sale... L. fourraillait assise, elle aussi. Elle maniait la sonde avec des gestes si amples qu'on eût dit qu'elle ramonait une cheminée)

La surprise quand le ventre est presque vide (à la pose du spéculum, le col presque ouvert accouchait déjà d'un magma prêt à sortir ; la sonde n'a fait que parachever)

Les compresses tombant l'une après l'autre dans la bassine, d'abord trempées d'antiseptique, puis gluantes des sécrétions du col, rougissant au long de l'aspiration, sombres de bétadine tout à la fin, au moment d'éponger le mélange qui clapote au fond du vagin

Le grattage (le spéculum qui tremble en mesure)
Les petites sondes pour vérifier
La dernière compresse, ramassée sur le champ bleu après avoir ôté le spéculum (le mouvement du bassin qu'elles font lorsqu'on le retire), pour essuyer la vulve dégoulinant de liquide teinté

Les taches sur le lino (les Agentes ont recyclé en tapis de sol des champs à usage unique qui, étalés sous la bassine métallique, gênent un peu pour tirer le tabouret entre les jambières : on est parfois obligé de le toucher pour le mettre en place et, bien sûr, on ne devrait pas puisque à ce moment-là déjà, les gants stériles)

La bassine métallique tapissée d'un sac en plastique noir (spectacle obligatoire quand elles s'assoient au bout de la table, puis se relèvent. Se couchent sur la vision d'une poubelle vide, s'en vont sur celle d'un amas d'étuis plastifiés papiers compresses sondes usagées)

Le bocal (— *Combien y avait-il ? — Cent cinquante...)*

La sueur la pâleur la nausée, le haricot pour vomir

Le haricot pour les éléments (A. faisant le tri du bout des pinces, sous le scialytique, pendant que la dame a encore le spéculum en place

— *Vous avez tout ?*

— *Oui, ça correspond)*

Le lever

Les mules ou les chaussons ou les chaussures à talon ou les pieds nus

Les femmes qui disent merci en sortant

Celles qui disent au revoir

Celui, celle qu'on va chercher dans la salle d'attente parce qu'il, elle a préféré attendre, et qu'on invite à aller la rejoindre dans la chambre

L'agitation dans la salle lorsque les Agentes remettent tout en place, préparent à nouveau un champ, des instruments

La dame suivante

Les discussions dans la chambre, information contraceptive (le retrait j'ai compris, les ovules

ça coule, les préservatifs j'aime pas ça, le stérilet j'ai pas confiance, la pilule je supporte pas on
m'y reprendra plus)

Les consultations « pré-ivg » qui durent une
heure, tout spécialement quand G. affirme que ça
ne prendra que cinq minutes (comme si on pouvait tout bonnement les faire entrer *Déshabillez-
vous !*, les faire monter sur la table sans leur
adresser la parole *Là aujourd'hui tout ce qu'il
faut c'est dire si elle n'a pas dépassé les délais*, les
examiner spéculum *C'est froid*, doigtier *Mmoui,
vous avez l'utérus en arrière, le saviez-vous ?*, et
hop ! *C'est bon ? On la programme pour mardi
prochain ou pour une anesthésie jeudi*, jeudi plus
rien je sens plus rien)

(Les anesthésies générales)

Les consultations de « contrôle » *(Je n'ai pas eu
envie d'avoir à nouveau des rapports, est-ce que
c'est normal ? Et mes règles, pourquoi ne sont-
elles pas comme avant ? Vous croyez que je n'aurai pas de suite ? J'ai encore mal dans le ventre, là
aux ovaires, est-ce que c'est parce que ? Il n'y aura
pas de complications ? Je pourrai tout de même
avoir des enfants ?)*
Celles qu'on revoit six mois, six ans plus tard
*(Je suis toujours revenue ici depuis, y'a pas de rai-
son)*

Celles qui viennent la bouche en cœur ou
le doigt sur les lèvres et qui sont enceintes
jusqu'aux dents, et tombent des nues en affir-
mant mordicus qu'elles ne s'en doutaient pas et

sur leur visage on voit bien qu'elles disent vrai (et c'est alors tellement plus compliqué que si elles étaient de mauvaise foi...)

(L'Angleterre)

Les autres. Absents, par définition. Jamais dans le service au même moment. Chacun sa demi-journée. Presque jamais rencontrés, ou alors, curieusement, tous ensemble réunion annuelle. Si différents les uns des autres. À les croiser dans la rue, qui dirait qu'ils font ce boulot ? Sept hommes. Plus de femme tenant la sonde depuis que Sachs a remplacé L.

Longtemps avant L., il y avait Y., dont A. racontait l'autre jour qu'elle n'arrêtait pas de faire des gosses et qu'elle venait à sa vacation enceinte jusqu'à sept mois et demi, huit mois, et que (hochement de tête de A. encore étonnée cinq ans après) *Ça se passait très bien, avec les dames...*

Les intrus. Ceux qui viennent regarder, assister, apprendre. Les conseillères du Planning pas venues depuis dix ans, qui veulent voir si ça a changé *(Heureusement que maintenant il y a des chambres, je me souviens quand vous en faisiez six ou huit dans la matinée et qu'il n'y avait qu'un lit de camp et chaque femme restait allongée royalement dix minutes avant que la suivante ne prenne sa place)* ; les élèves infirmières *(Je suis contre mais je voulais savoir comment ça se passait)* ; les rares médecins qui accompagnent leur patiente

Le rideau de la cabine
L'escabeau

La table d'examen
Les jambières qui sont restées des mois en réparation

Les enfants en pagaille qu'elles traînent sur leur visage, dans le dossier et dans la salle d'attente *C'est mon petit dernier je n'avais personne pour le garder* et même parfois dans la chambre (le couple venu avec la petite de cinq mois, le mari déchiré entre le couffin posé sur la banquette et sa femme qui entrait en salle, alors G. dit qu'elle allait la garder cette petite puce

— *Dites-lui que vous allez revenir, qu'il n'y en a pas pour longtemps.*

— *Vous croyez vraiment qu'elle comprend ?*

— *Et vous, êtes-vous sûr qu'elle ne comprend pas ?*

et ils sont entrés tous les deux en salle tandis que G., nourrisson sur les genoux, souriait béatement. Vingt minutes plus tard la mère donnait le biberon. Ce tableau étrange : assis dans la chambre tous les quatre, mère vidée emplissant sa fille sur le lit, un homme (costard noir, blouse blanche) de chaque côté)

Celles qui n'arrêtent pas de pleurer
Celles qui parlent sans arrêt, devisent gaiement avec A. ou l'Agente pendant que la machine gronde
Celles qui restent placides, boursouflées, mollasses
Celles qui crânent en entrant et puis sautent et gigotent et tentent de fuir au premier contact
Celles qui hurlent pendant (les bras qui tombent, la sueur froide, le sentiment d'épuisement

absolu lorsque l'une d'entre elles se met à hurler ; les mots plus vifs, alors, de A. : *Nous ne pouvons pas continuer si vous criez, Madame.* La serviette qu'elle leur tend et dans laquelle elle leur demande de mordre) et plaisantent, après…

Le lavage des mains

Les paroles de justification, de haine, d'excuse, de peur
Celles qui ne comprennent rien. Ou font comme si
Celles qui laissent quelqu'un d'autre parler à leur place
Celles qui empêchent leur compagnon d'en placer une seule
Celles qui sont belles

La blouse
Les gants
Le pantalon (comment se fait-il que depuis tant d'années, pas une tache ?)
La passoire (juste de la taille qu'il faut pour rincer une boîte de crevettes)

Les mères, les sœurs, les amies
Les maris (quand ils viennent)
Les pastilles rouges sur le dossier de celles qui reviennent pour la deuxième, troisième, quatrième fois et ont accouché entre-temps… (et celles qui reviennent avant même qu'on ait archivé le dossier de la fois précédente)

Les papiers à signer
Les ordonnances

Le radiateur sur lequel on s'assoit dans la chambre quand aucune chaise n'est libre, et on se brûle les fesses en pensant aux slips (page 43 du CATALOGUE DE L'HOMME D'AUJOURD'HUI, entre le n° 667, Revolver Colt Frontier, réplique exacte du modèle de 1890 boîte buis marquetée complète avec cartouches à poudre et kit de nettoyage, et le n° 669, Élégante mallette de voyage cuir bordeaux quatre compartiments (plus un secret) fermeture par serrure à chiffres contenant une splendide trousse de toilette avec blaireau poils naturels savon parfumé et rasoir barbier manche plaqué argent ciselé) chauffants. Méthode contraceptive masculine de l'avenir, ce sous-vêtement original, chic et seyant, température locale 37° 5, alimentation par batterie invisible tenant dans une poche de pantalon, allie l'efficacité (la chaleur rend les spermatozoïdes inopérants) au confort (très apprécié en hiver), dans la plus grande discrétion : inutile de demander à votre partenaire si elle est protégée, adieu les encombrants étuis de deux mille préservatifs...)

Les instructions, avant de les laisser partir
La feuille jaune. Les douleurs dans trois jours. La toilette. Les rapports *(Quand est-ce que je pourrai en avoir à nouveau, il vaut peut-être mieux que j'attende un mois ou deux, non ?)*
La ligature des trompes *(On m'a dit que j'étais trop jeune, mais cinq ça me suffit j'en veux plus)*
La vasectomie.

— *Venez Madame approchez* (mais non ça ne mange pas, ça ne mord pas c'est un bonhomme en blouse, tout bonhommement, marqué Docteur, sourire neutre et bienveillant comme dans les livres, venez donc par ici puisque vous l'avez décidé, venez venez montez)-tallique qu'elle n'a pas vu encore, tant ses yeux (serre les pans de la chemise main plaquée sur le ventre, pour le tenir ou de peur qu'on y touche, et bien sûr qu'on va y toucher maintenant que vous en êtes arrivée là, plus moyen de reculer. Jamais vu une dame dire non au dernier moment je ne veux plus. Arrêtez, oui. Des cris, des plaintes sur la table s'il vous plaît arrêtez, oui. Mais qui changeait d'avis ça non, jamais)-mander si elle a pensé à enlever son slip (culotte string dernier rempart, te la roule en boule, cherche un endroit où la cacher comme si c'était un objet honteux, fanfreluche de fin tissu, fin maintenant, mais gonflé tout à l'heure par la serviette hygiénique, placée par A. entre les cuisses encore allongée douloureuse *Attendez je vous aide* et hop ! enfilée la culotte, fermé l'orifice, condamné le ventre après les fouilles).

— *C'est cela, installez-vous.*

Elle gravit les deux marches de l'escabeau (gymnastique à faire et refaire et reproduire une fois avant une fois pendant une fois après, et d'autres fois combien de fois ensuite ? Celles qui savent tout de suite et celles qui ne savent jamais hésitent tout autant, regardent sur le visage du Docteur si oui elles font bien, c'est bien comme ça ?) s'immobilise en voyant à ses pieds le sac en plastique noir béant (oui, c'est bien la poubelle, mais ce n'est pas là-dedans que) *suis le Docteur Sachs, c'est moi qui vais procéder* (opérer, exécuter, pratiquer. « *Praticien : (1314) Personne qui exerce son art et qui a la connaissance et l'usage des moyens pratiques...* » Ah ! Vous êtes pratiquant ?) *vous a expliqué ?* (regard vide inquiet sourire figé ou traits serrés pendant qu'elle soulève les jambes, s'installe, se pose, se place, se couche et mettez vos jambes là, et glissez-les dans les jambières, avec le rembourrage en skaï c'est tellement confortable ! À condition bien sûr qu'on arrive à vous les placer comme il faut, desserrer ces foutues vis à la noix les faire tourner pour Mmmgnnhhhan ! que le gras des cuisses ne déborde pas (les grosses, les grasses, les bouffies, les totalement obèses) *Venez, approchez-vous encore un petit peu du bord vous êtes trop loin les fesses juste au bord encore un peu, encoruntoupetipeu voilà c'est bien !* (leurs cuisses comme des traversins et dans le fond du goulet deux bourrelets qui doivent cacher l'entrée d'un sexe (de ce qui doit bien en être un), les spéculums toujours trop courts trop étriqués, parviennent pas à tout écarter des plis de la chair molle pour dégager le fond, comment diable le monsieur (s'il est là, assis en silence, souvent petit et chauve si tu lui souffles dessus il va s'envoler par la fenêtre et ça n'a rien de drôle dans la situation sauf qu'on se demande, on s'interroge, on est en droit de s'étonner) peut-il, et d'ailleurs quel instrument pourrait suffire à emplir ça par quel miracle, de même que dans trois minutes les doigts plastifiés vont s'égarer dans l'antre gigantesque, tout à l'heure les Karman elles-mêmes s'engloutiront jusqu'à la garde, perdues au large glisseront sans peine au milieu de nulle part, pas possible de savoir s'il y a des bords, impossible de déceler s'il reste encore quelque chose, et le grattage sera imperceptible, pas même lisible sur le visage lunaire, car elles encaissent bien dans leurs rondeurs, elles absorbent tout, les vibrations, les mouvements de la sonde, elles engloutissent même la douleur) son visage entouré de cheveux étalés (et les maigres, les filiformes aux longues jambes grêles presque fragiles osseuses, sexe au bord de la table juste au-dessus de la bouche noire du sac, périnée comme un visage aveugle aux lèvres tendues en avant, parfois fripé presque desséché poils rares peau grise rien à voir avec l'objet d'un désir, comme si la table lui rendait son statut de chair d'os et de peau, attention précautions avec le museau du spéculum doucement ça peut faire mal, ça se tend ça se crispe, les tendons comme des haubans à l'intérieur des cuisses, le bassin qui se soulève même si elle n'émet pas un son même si le visage blanchit) te porte un regard perdu.

L'homme, s'il est là, s'est assis sur la chaise, entre la table et la fenêtre, ou reste debout, une main posée sur le skaï, genou appuyé contre un pied chromé.

A. entre à son tour. Elle s'approche de la dame, lui prend la main, te regarde *Madame S... est un peu émue* se penche vers elle, sourit *C'est bien naturel*. La dame finit parfois par laisser échapper *C'est douloureux ?* (ah, oui. Sûr que ça l'est, salé ! Dérouillera peut-être pas beaucoup sur la table mais tout à l'heure (mors au ventre, glace par-dessus), ou plus tard, enfin un jour ou l'autre ; et puis, elle a déjà bien dérouillé, bien pleuré souvent, bien eu les viscères tordus comme linge qu'on essore, bien eu du mal à dormir les cinq dix quinze nuits précédentes dès que, car les seins gonflés faisaient mal, ou les enfants nés, eux, gniards bien vivants n'en pleuraient pas moins la nuit, ou encore la crainte que ça ne se voie, la crainte absurde qu'on ne le lise sur le visage comme si les yeux eux-mêmes pouvaient l'indiquer, comme si ça se voyait comme le nez, comme si) *mais ça dépend des dames. D'ailleurs de toute façon ça ne dure pas long-*(oui. Enfin, en principe)

— *De quand datent vos dernières règles ?* (c'est pas le tout d'être sûre qu'on l'est, faut aussi que ça ne le soit pas trop, pas trop évolué donc faut l'évaluer. Du bout des doigts dedans, du plat de la main dehors : la boule, petite prune orange ou pamplemousse (salade de fruit jolie, jolie métaphore à la noix) ananas oblong ou pastèque si grosse qu'on la voit bomber sous la peau dès qu'elle est allongée)

— *Vingt-deux février, ça fait combien ça ?* (faut que tout ça colle, que tout ça ait l'air d'aller (si tant est), que la grosse boule n'ait pas l'air trop, tout de même, sous peine de regard désolé soupir navré : *Je pense qu'il va nous falloir une échographie, votre grossesse m'a l'air assez avancée, votre médecin ne vous a pas examinée ?* Regard vide de la dame, raidissement du monsieur :

— *Non. Pourquoi, il fallait ?*

Tellement plus simple de faire porter la responsabilité à l'absent. C'est pas vot'faute si vous n'avez pas compris plus tôt que ces trois gouttes noirâtres dans le slip il y a un mois et demi n'avaient rien de régulier, que les deux tailles de soutif en plus, que les kilos sur la balance et la fringale brutale signalaient l'intrus. C'est pas de la faute du bon Docteur Sachs s'il n'est pas le bon dieu *Il y a une Loi vous savez*, et bien obligé de la rappeler à la rescousse et de vous l'appliquer sur la figure parce que, bon, bien sûr, des fois on passe... outre. Des fois, oui, on fait comme si la noix de coco était un pamplemousse et vazy-don les bougies glissent, et *Une huit s'il vous plaît* ou même *Donnez-moi donc tout de suite une vacurette n° 9,* parce qu'il va falloir te le sortir, le bougre. Mais d'autres fois c'est pas le moment, c'est pas l'envie, c'est pas la force, alors *Je suis désolé... bien sûr si l'échographie nous indique que le terme correspond aux limites légales, pas de problème. En revanche)* enfilé sur l'index et le majeur de ta main droite, tu as trempé les doigts ainsi recouverts dans le récipient empli de liquide translucide.

Tu te retournes à présent vers la dame (jamais compris pourquoi dans les livres dans les cours dans les services on les examine de face, pourquoi on enseigne de leur rentrer dedans comme ça entre les jambes, tout le corps entre les cuisses, comme le tueur qui s'approche tout contre et vous colle le canon du flingue entre les côtes à travers la poche de l'imper et vous retient par la manche, bouge pas sinon.

Jamais fait comme ça.

Toujours fait comme Lance : il sortait du compas des jambes écartelées, tournait autour de la table, se postait à son côté, la regardait souriant relevant délicatement *Pardon* la chemise qu'elle avait tirée le plus bas possible, posait la main nue sur le ventre avant de glisser les doigts plastifiés entre les deux lèvres, là en dessous, prenait doucement tendrement la bosse la boule la balle entre ses mains comme pour la soulever, calice, objet sacré...

Toujours fait comme ça depuis, en souvenir de lui, qui se penchait, se couchait presque sur le ventre des femmes.

Mais Lance n'était pas spécialiste-des-matrices, comme l'autre con sur son estrade, professeur en chaire de mes deux, suçotant au micro, descriptions imagées *Aux cheveux brillants, aux lèvres succulentes du visage* (accent méridional couleur vocale gluante) *correspondent les lèvres bien humides du sexe lubrifié* (sifflements carabins) *par une stimulation es-tro-gé-nique har-mo-ni-euse. Aux lèvres pincées et au chignon serré* (rires gras), *les lèvres sèches de la carence hormonale. Messieurs, tout de l'imprégnation ovarienne de la Femme se lit sur son visage...*

Pourri. Tordu. Pas possible que ça reste aussi longtemps dans la mémoire, que ça revienne encore bourdonner aux oreilles, coller à la peau comme le papier tue-mouche, quinze ans plus tard c'est encore là, les images les paroles qui faisaient se lever bruyamment et sortir de l'amphi en claquant la porte parce que c'était intolérable d'entendre ça, insupportable quand tu viens juste de, quand tu as enfin osé, quand le grain la couleur de la peau les taches séchées sur le ventre blanc la moiteur la torpeur tout nouveau tout beau et voilà ce salaud qui... Alors vraiment, avoir vu Lance si respectueux si délicat, *simplement en se mettant de côté*) *Pardon* le bas de la chemise de nuit.

D'une main, tu refoules. De l'autre, tu évalues.

Tu te redresses enfin et, selon les constatations que tu viens de faire, tu murmures *Bon* (oui, quand c'est pas trop en arrière, pas si gros qu'on ne sent plus rien, pas si loin qu'on ne sait pas ce qu'on touche, pas si tendu que c'est un mur de briques, pas si tendre et juvénile qu'on (seize ans jamais examinée peut-être le premier *rapport* et pan ! t'es bonne ma belle, te v'là tout en même temps dépucelée, engrossée, positionnée-gynécologique, farfouillée et bientôt ramonée. Le médecin *de famille*, lui, a prudemment évité de te faire allonger, c'est donc le Bon Docteur Sachs qui t'y colle le premier doigtier et qui) n'ose pas la forcer s'enfoncer jusqu'au bout, qu'on a peur de faire mal au petit sexe encore étroit...

... et quand ce n'est pas comme il y a un an ou deux, la petite blonde mutique amenée par sa mère au cabinet médical *Elle a pas ses règles depuis deux mois.*

Et le Bon Docteur naïf : *Quel âge avez-vous mademoiselle ?* Et la mère : *Elle ne vous répondra pas vous savez elle est en IMP. Elle a quinze ans.* Et le bon con de Docteur la fait déshabiller, et frissonne en découvrant les seins lourds parcourus de petites veines bleues et surtout l'effrayante passivité tranquille avec laquelle, facile, elle se laisse pénétrer sans douleur par les doigts sans histoire. Non, non ça n'était pas parce que le gentil Docteur l'avait bien mise à l'aise de paroles rassurantes, ça non. C'était mon dieu peut-être tout simplement la force de la-l'habitude que des doigts, ou plus, passent par là. Et le Bon Docteur tout bête tournant autour du pot : *Je me demande je crois j'ai l'impression il me semble j'ai bien peur que votre fille soit enceinte.* Et le soupir tranquille de la mère grosse et ronde et tout de noir vêtue : *Ça ne m'étonne pas. C'est mon mari qui s'occupe d'elle.*

... bref, quand tout va bien rien d'anormal, on sait que ça correspond, ou non. D'autres fois on ne sait rien. Mais on se dit que ça devrait aller et on y va. À Dieu *vaque*, on verra bien (regard vers A. qui tient la main de la dame) jusqu'où les bougies (hochement de tête Vas-y je m'occupe d'elle) vont nous mener *(Ce sont des imperméables qu'on fait dans votre usine à S., c'est bien ça ?)* et c'est parti !) au bout de la table d'examen.

Tu tires à toi la table roulante.

Tout est là, à portée.

Les objets et les gestes, bien sûr, mais aussi les histoires.

Il te suffit de te mettre à écrire et ça vient. Ça s'écoule au bout du stylo chuintant. Ça se range en lignes sur le papier. Tu n'auras plus ensuite qu'à tout repasser au crible de la machine pour que cela cristallise, pour que cela prenne forme.

Tout est là.

La chaleur moite des printemps précoces, quand l'hôpital se chauffe encore. La couleur de la salle lorsque les volets sont fermés.

Le bruit de la sonnette.

L'irritation lorsqu'une intervention n'en finit plus et que G. t'annonce que deux autres personnes viennent de débarquer sans crier gare.

L'été. Quand, en l'absence des autres, tu te rends dans le service trois, quatre fois par semaine, pour les remplacer.

(La feuille de paie du mois de septembre.)

Le téléphone qui résonne, et la voix de A. :

— *Bruno ? On t'attend.*

— *Mais on est jeudi...*

— *Oui, mais il était prévu que tu viendrais aujourd'hui, tu sais bien, D. est en vacances...*

Chaque été, ton carnet est constellé de rappels de ces vacations supplémentaires. Chaque été, tu en oublies une.

Les interventions sous anesthésie générale.

Tu n'en fais presque jamais. Sauf l'été, justement.

Ça n'a rien à voir avec le mardi. Les dames somnolent déjà lorsqu'on les amène sur un brancard jusqu'à la petite salle de travail reconvertie. Elles sont nues. Attachées, bras en croix. Leurs seins étalés. On leur colle des électrodes sur la poitrine. L'anesthésiste pousse quelques gouttes d'une seringue dans leur perfusion et bientôt elles sombrent.

Tu n'aimes pas qu'elles dorment. Tu as l'impression de commettre un délit. D'agir à leur corps défendant. Il n'y a d'ailleurs qu'après les anesthésies qu'elles demandent si on a bien tout enlevé. Si tu en es sûr.

(Le soupir qu'elles poussent sous le masque quand on les appelle. *Madame T... réveillez-vous, c'est fini !*)

Les femmes que tu vois du début à la fin (elles ne sont pas si nombreuses. D'une consultation à l'autre en passant par l'intervention, il peut leur arriver de voir trois médecins différents), comme cette jeune femme blonde : Tu l'avais reçue en consultation un mardi. Elle cherchait à se frayer un chemin entre deux hommes et sa carrière et ce retard de règles. Le jeudi suivant tu t'étais dépêché de retourner à l'hôpital. En la voyant arriver, alors que, reprenant ton souffle, tu enfilais ta blouse pendant qu'on la faisait passer sur la table :

— *Je ne pensais pas vous revoir, j'avais oublié que je devais venir aujourd'hui.*

— *Ah ? J'ai toujours pensé que ce serait vous...*

Pendant l'intervention, tu cherchais ses yeux. Ils avaient été fermés par deux bouts de sparadrap collés sur les paupières. De sa bouche dépassait, obscène, le tuyau d'intubation. Tes gestes n'étaient pas les mêmes parce que le corps sur lequel tu posais les mains ignorait ta présence. Tu avais surpris en toi un insidieux malaise, à l'idée qu'elle ne ressentait rien.

Un peu plus tard, tu avais pressé le pas vers la chambre où elle était couchée en compagnie d'une femme brune à peu près du même âge. Elles étaient en train de devenir amies. Leur ignorance de ce qu'avait été l'intervention laissait le champ libre à tout ce qui faisait leur vie, hors de cette après-midi. (Ce même jeudi, la troisième dame était une paysanne usée et disgrâcieuse. Sur tes instructions, on l'avait couchée dans l'autre chambre.)

Tu avais passé un long moment avec elles. Les volets étaient fermés, on était en août, il faisait très chaud. L'autre, la brune, racontait qu'elle élevait des chevaux ; elle les faisait venir d'Arabie ; elle avait choisi de ne pas garder cet enfant parce que.

La jeune femme blonde revint en consultation trois semaines plus tard. Elle était inquiète parce qu'elle n'avait pas eu ses règles après le mois de pilule, elle savait que ça pourrait arriver, d'ailleurs elle avait bien vu que son test était resté négatif, et de toute façon elle ne se sentait plus enceinte comme trois semaines auparavant.

Mais elle ne se sentait pas très bien.

Son image reste vive à ta mémoire. Tu la revois sortant de la cabine, ses trois pas sur la pointe des pieds jusqu'à l'escabeau, ses seins encore lourds de la grossesse interrompue, le geste de protection qu'elle fit pour les cacher une fois allongée, à nouveau nue mais cette fois-ci bien présente, le frisson sur ses cuisses lorsque tu posas le spéculum.

Elle revint une fois encore, huit ou dix jours plus tard, te demanda s'il était habituel de se sentir triste, *Je n'ai pourtant aucun problème c'est un peu indécent de se plaindre j'ai tout pour être heureuse*, te confia la disparition de tout désir en elle depuis ce jeudi-là, et bien sûr ça l'inquiétait, et ça inquiétait aussi son… ami. Il avait été doux, compréhensif, attentif. *Tellement bien ce type, compte tenu du fait qu'il n'était pas le père* et bien sûr il comprenait, il était si gentil. Mais vraiment, elle n'avait pas envie… est-ce que c'était normal ?

Et, alors que tu l'avais reçue dans l'idée qu'elle avait surtout besoin de parler, elle demanda que tu l'examines à nouveau. Un peu surpris, tu t'exécutas sans rien laisser paraître.

En sortant de la salle de consultation, très vite, comme un secret, elle voulut savoir *si le col était propre*. Stupéfait, tu te mis à bredouiller

— *Voyons, à votre âge, Mademoiselle, heureusement !*

Plus tard seulement (mais trop tard, bien sûr, elle était partie), tu compris que ça voulait peut-être dire : Est-ce que la trace est visible, est-ce qu'il reste une tache, une marque ?

Ça doit être l'anesthésie générale, ou la chaleur de cet été-là qui te monte à la tête... aujourd'hui encore, tu penses avec mélancolie que tu l'aurais volontiers...

Et puis tu te dis qu'après tout, c'est peut-être la coexistence rugueuse de ces troubles sentiments et de ta distance toute... *professionnelle*, qui lui avait permis de revenir te parler. Une femme comme elle devait apprécier qu'un homme qui la désire sache se contrôler.

Sûrement.

Enfin, on se console comme on peut.

Et cette... femme. Ses cheveux aux reflets travaillés, composition savante qui ne devait sans doute rien au hasard, ni au coiffeur, mais plutôt à la surveillance qu'elle avait dû exercer sur le moindre geste, sur la moindre application de colorant ou d'eau oxygénée. Tu ne te souviens pas seulement de la couleur de ses cheveux, mais aussi de celle de ses ongles. Longs, soignés, nacrés.

Et de ses mains, tendues devant elle comme pour atteindre son sexe, ses doigts qui se mêlaient aux poils blonds et frisés et, un court instant, avaient presque écarté les lèvres en un geste équivoque, tandis que ta main allait et venait, que son corps et sa tête se cambraient en arrière, que son ventre se soulevait et qu'elle accompagnait cette danse lente d'un long gémissement sourd.

Tu ne te souviens jamais de leur nom. Tu gardes souvent leur visage en mémoire. Plus ou moins. Ce que tu gardes le plus clair, ce sont leurs histoires. Celles auxquelles tu as assisté. Celles qu'elles t'ont racontées. Celles que tu as écrites, plus tard.

Celle de la femme brune, très bien maquillée, très bien habillée, qui vint trois fois la même semaine, et parla des heures avec A. et J. et toi, parce qu'elle ne voulait pas avorter. Son mari, lui, ne voulait pas d'un troisième enfant. Son désespoir au téléphone, quand finalement elle appela pour prendre rendez-vous. Les mots qu'elle laissa échapper : *Il n'a aucun droit sur cet enfant-là.* Le silence que tu t'imposas pour ne pas lui demander ce que cela voulait dire.

Et la prof de gym. Une femme longue et musclée venue avec une amie du même âge. Très « sororité-des-années-70 », toutes les deux. Très proches. Elle avait crié sur la table.

Après, dans la chambre, elles avaient failli te mordre lorsque tu avais dit que pour discuter d'une ligature des trompes il serait préférable que son mari l'accompagne.

— *Sans blague, mon cul est à moi ! Qu'est-ce que mon mari vient foutre là-dedans ?*

— *C'est vrai, ça, mecs et médecins vous êtes tous pareils !*

Tu avais répondu que ladite consultation leur permettrait de choisir ensemble entre ligature et vasectomie.

Après un moment de surprise, elles avaient ri.

— *Oui, ce serait pas mal de leur faire ça, tiens !*

Elles t'avaient regardé avec un je ne sais quoi de torve. Tu avais précisé d'un air serein que ça rendait seulement stérile.

Il y avait eu un silence de fauves qui s'observent. Et puis, comme par fatigue, l'agressivité était retombée, vous étiez revenus à vos rôles respectifs de patiente dans un lit, d'amie tenant la main, de médecin signant ses ordonnances.

Tu te souviens aussi de la femme qui était sourde et muette.

Et de celle qui revint un jour te demander si à son âge, trente-neuf ans, elle pouvait envisager une nouvelle grossesse, *Bien sûr il y a trois ans ça ne tombait pas bien mais aujourd'hui mon fils a douze ans alors je voulais savoir si ça n'est pas dangereux, s'il n'y a pas de risque, si ça n'a pas eu de conséquence, et si je peux encore…*

Et aussi, bien qu'au premier abord elle semble n'avoir rien en commun avec toutes les autres, tu te souviens du petit bout de femme accompagnée de son mari et d'un petit garçon de quatre ans, vue un soir en catastrophe, dans ton cabinet médical, parce qu'elle saignait.

Lorsqu'elle s'était allongée (tu surveillais du coin de l'œil l'enfant assis sur les genoux de son père pour vérifier qu'ils ne regardaient pas), tu avais posé un spéculum et là, dans la lumière de ta lampe à pied, une chose avait jailli hors du col, si vite que tu n'avais eu que le temps d'attraper un haricot pour la récupérer au vol.

Elle avait expulsé son embryon toute seule.

Elle était descendue de la table d'examen,

s'était rhabillée tranquillement, avait écouté tes explications navrées sans drame, sans pleurs, sans émotion apparente, juste un peu pressée de rentrer chez elle, pas très désireuse d'être enceinte de nouveau. *Pas tout de suite. Je n'en ai pas envie.*

Avec une grimace, elle s'était tournée vers les traits poupins du mari et du petit garçon, deux formats du même visage. *Peut-être plus tard, pour lui faire plaisir. Mais pas tout de suite.*

Après leur départ, tu étais allé le repêcher. Dans la poubelle en plastique. Le seul embryon de dix semaines que tu aies jamais vu entier.

Elles reviennent en grappe, histoire après histoire. Pas toutes, bien sûr : il y en a tant dont tu as oublié l'existence (un jour, tu as accueilli une dame, remarqué la pastille rouge sur le dossier, froncé les sourcils sous le regard mi-contrit mi-amical qu'elle te portait... et compris seulement une heure plus tard, dans la chambre, que la fois précédente c'était toi déjà qui l'avais avortée).

Tu sais que ta mémoire fait le tri. Tu ne sais pas comment. Tu ne t'en préoccupes pas. Tu laisses revenir ce qui veut bien le faire. Tu relèves tes oublis, comme les images les plus précises.

Parfois, à ces oublis se mêlent des reconnaissances dont tu ne parviens pas à distinguer la réalité. Dans la rue, tu croises des visages féminins vaguement familiers et, lorsque tu cherches à les identifier, tu te mets à les affubler d'une chemise à fleurs aux couleurs passées et boutonnée par-devant.

Un jour que tu prenais une citronnade au soleil, et que tu habillais ainsi les passantes, la serveuse vint te demander si tu désirais autre chose. Tu répondis que non, un peu négligemment. Elle resta debout près de toi. Tu finis par lever les yeux et la reconnaître. Cela ne faisait pas si longtemps qu'elle était venue dans le service.

— *Ah ! Bonjour... Euh... vous allez bien ?*

— *Oui. On s'y fait. On finit par ne plus y penser.*

(De son lit, elle t'avait rappelé qu'elle travaillait dans ce café. Vous savez bien. Non, tu ne savais pas, ou plutôt tu n'avais pas fait le rapprochement, mais tu avais répondu Oui bien sûr)

À ton départ, elle te fit un signe de tête. Comme à quelqu'un que l'on connaît un peu. Et tu pensas qu'il y avait quelque chose de doublement réparateur dans cette rencontre presque sans parole, dans le fait de te montrer dans un autre rôle que celui d'avorteur en blouse blanche penché sur son ventre, dans cette occasion de prendre acte de ce qu'elle était dans la vie, pas simplement une fille qui s'est fait tringler et vient se faire vider.

(Chaque histoire qui surgit ne se rattache pas à la précédente. N'en appelle pas une autre à coup sûr. Tu dois parfois attendre. Et ce qui finit par apparaître n'est pas toujours aussi édifiant que tu l'espérais)

Et ce couple.

Elle en instance de divorce, *Cette grossesse tombe mal.* Lui dont tu pensais qu'il était son amant. Il était entré avec elle. Il avait posé mille et une questions pendant que tu intervenais. Une fois qu'elle avait rejoint la chambre, il s'était éclipsé, avait rapporté des brassées de fleurs pour elle et des chocolats pour le personnel. Pendant son absence, elle l'avait presque complètement passé sous silence. Puis, incidemment : *C'est mon employeur. Il m'a beaucoup aidée ces derniers temps*. Elle n'avait pas l'air de se rendre compte. Ou bien elle n'avait pas envie de le montrer.

(De temps à autre, ce ne sont plus les histoires qui affleurent, mais des sentiments confus, comme parasites. Ainsi, le désir, difficile à contenir, d'avouer à A. ce que tu essaies d'écrire, désir alourdi par le poids dans ton cartable du texte grossissant, par la manie de le trimbaler partout, jusque dans le service, de l'enfermer d'un tour de la petite clé dérisoire avant de jeter le cartable sur la pile de blouses, pour constater au moment de partir que la sangle blanche dépasse (par quelle magie ?) sous le rabat de cuir, et suggère que tu caches quelque chose.

Le trouble désir de faire savoir.

Et cela aussi, tu en couvres le papier. Pour éviter qu'un mardi les mots ne te trahissent.)

Une mère. Lorsque tu demandas à sa jeune fille si elle désirait être endormie, elle répondit à sa place :

— *C'est pas si douloureux...*

Une autre mère, au visage déformé d'aigreur. Alors que tu t'assurais auprès de l'adolescente qu'on lui avait — *Oui, ne vous en faites pas je lui ai expliqué. J'ai déjà amené sa sœur aînée ici il y a deux ans.*

Cette autre encore, mais était-ce vraiment la mère, ou une tante jouant à la grande sœur ? Un peu trop ronde, un peu trop maquillée, vêtue un peu trop jeune pour son âge, portant à l'oreille droite une boucle identique à celle que sa cadette portait à l'oreille gauche, parlant à toute l'équipe entassée dans le bureau de A., annonçant fièrement que (sa fille ? sa nièce ? sa sœur ? une gamine à l'air un peu bétassou, souriant aux anges pendant que l'autre saoulait l'assistance) était enceinte et que ça lui faisait drôlement plaisir parce qu'elle, n'est-ce pas, elle ne pouvait plus, vu qu'elle avait eu une ligature, et que par conséquent elle avait, en quelque sorte, adopté la jeune future mère (et le jeune père aussi d'ailleurs, ils vivaient tous ensemble à présent, en famille), et donc (et c'est pour cela qu'elles venaient) que fallait-il faire pour *déclarer cette grossesse et faire tous les papiers ?*

Le silence stupéfait, les regards échangés, le fou rire retenu à grand-peine, et toi :

— *Il suffit d'aller voir un médecin.*

Un peu trop sèchement, tout de même.

Tu te trouves à présent au centre d'un espace fonctionnel délimité par les éléments qui habitent la salle.

Éléments fixes : derrière toi la paillasse, devant toi la table d'examen, à tes pieds la bassine métallique tapissée d'un sac en plas-(plof, plof, font les compresses l'une après l'autre, il pleut il mouille, c'est pas le drap de la dame précédente, plié posé beau masque sur les reliefs de l'inter(é)ven(tra) tion, qui empêchera la suivante de se demander ce qu'il peut y avoir là-dedans lorsqu'elle s'installe ; et lorsqu'elle se relève regard hébété après la douleur elle ne se pose plus la question elle sait (ou elle croit savoir)

— *Je peux voir ?*

— *Y'a rien à voir.*

— *Ça ne se voit pas ?*

— *Pas vraiment. Vous savez ça ne ressemble à rien, c'est microscopique, ça n'a pas forme humaine*

ou alors, bien avant, à peine assise au bord au bout de la table, son regard vers l'Agente en retard sur tout le monde, qui sort le bocal souillé de la machine, fait couler un peu d'eau dedans, le remue pour nettoyer les parois avant de tout vider au fond du profond évier. Non, non ! c'est pas la peine de regarder y'a rien à voir y'a rien à deviner y'a rien à rattraper. C'est déjà parti tout à l'heure dans la passoire, et de là c'est déjà jeté, y'a plus rien, ce n'est que la fin d'une autre mais pas encore la vôtre) te regarde verser une petite flaque d'alcool dans tes paumes (on y va, on y va, désinfection générale sur les mains ouaouïïïee ! ça brûle les doigts petites coupures sans valeur vénale petites éraflures morsures au coin des ongles, et aïe ! ici piqûre d'agrafe récalcitrante voulait pas se laisser ôter des feuilles hier, goutte de sang bobo taffetas gommé *Vous vous êtes fait mal Docteur ?* sourire maternel de l'épicière en rendant la monnaie) enfiles ceux-ci comme on te l'a appris (Lance encore, premier jour au bloc

— *Tu mets une casaque et des* (satané chirurgien de mes) *bottes, un calot un masque des gants et tu me suis. L'interne est malade, on opère à nous deux.*

— *Hein ? Mais je*

— *Ça ne fait rien tu regardes et tu fais ce que je te dis. Je sais que t'es bavard, mais t'es pas sourd, quand même ?*

et grouille-toi, pas de discussion ! Encore heureux que la panseuse au sourire amical *Attendez je vous aide* à enfiler la casaque stérile. Premières armes de bloc (et croyais bien les dernières, jurais bien aux grands dieux charcuterais plus jamais, pas le goût de trancher dans le vif, plutôt potions magiques passes magnétiques tout dans la tête et les mains) sur un gros bonhomme (Machinlavsky. Russe blanc. Quatre-vingt-quatre berges dont soixante-cinq sur celles de la Seine) plein de cailloux coincés dans le seul uretère qui lui reste. Pisse plus. Ça urge. On tranche et *Tiens-moi son rein. Mais n'aie pas peur, ça va pas casser ! Faut que je tâte l'uretère plus bas. Il est enveloppé, notre ami Lavsky. Ah tiens ! qu'est-ce que je disais. Les voilà ses cailloux* le rein flottait au bout d'une longue pince posée sur un champ bleu pendant que Lance débouchait puis réparait la tuyauterie. Comme ça, tranquille avec juste un étudiant boutonneux pour lui tenir les pinces les compresses et le crachoir. Quelle époque ! En dehors des cicatrices d'acné, seul souvenir du front. Gardé au chaud...) se rabattent avec un (Schlakk, schlakk. Joli petit bruit des manchettes qu'on tire sur les poignets, jamais aussi joli que tout à l'heure lorsqu'on les enlèvera. Un peu étroits ces gants *Vous êtes sûre que vous m'avez donné du sept et demi ?* Plutôt du trois ans et demi — *Oh mon petit garçon comme tu es élégant ! — Mais z'en ai pas les gants...)* spéculum posé sur le plateau (hop, d'une main adroite, tandis qu'hop, d'un pied à gauche viens par ici mon petit tabouret joli. Aaattention au tapis de sol, mettez les patins on vient de cirer) tu trempes son extrémité dans le liquide translucide *(Lu-bri-fier, bien lu-bri-fier, que ça glisse que ça passe ; c'est pas difficile à comprendre ça, les gars, c'est pas à vous que je vais faire un dessin)* C'est froid (souvent les lèvres un peu gluantes, grossesse oblige, on pousse doucement et zzou ! pile dessus, trouvé sans défense le beignet rose, rond ovale ou pointu, une petite goutte juste à l'entrée, prêt à accueillir les bougies. Mais souvent il faut fouiller un peu pour le découvrir au fond ou en haut ou en avant ou ailleurs, alors on écarte. On voit rien ? On ferme, on retire. On repousse un peu plus par là : on voit toujours rien. Et où il est ce col à la noix ? Ah ! *Vous pouvez m'allumer la lumière ?* par-dessus l'épaule *Oui, un peu plus bas. Très bien... Est-ce que vous avez déjà eu un frottis Madame ?* par-dessus le spéculum *Un tous les deux-trois ans ça serait bien*) Je vais maintenant désinfecter votre col avec du liquide (du bout de la Longuette on pêche une petite compresse sur le champ bleu, on plie du bout des doigts main gauche, on resserre la pince par-dessus clikkkk ! Trempe dans le cétrimide. Glisse dans le tunnel. Frotte sur le beignet. Tombe dans la bassine. Deux petites compresses, trois petites compresses. Compte jamais. Paquets de quatre stériles. Toujours trop ou pas assez. Badigeonne, nettoie, frotte, ça fait de la mousse, ça coule au fond de la cavité, ça baigne le bas du beignet. Et une sèche pour éponger. Et une autre pour y voir plus clair... Oh ! y'en a plus déjà... Et du liquide non plus ?

Les bras s'affaissent. Le regard s'attriste.

— *Il vous manque quelque chose ?*

A. ou l'Agente ou les deux s'empressent, versent le flacon dans la cupule, épluchent un nouvel étui de compresses et c'est reparti. Cinq petites compresses, six petites qu'on presse, celle-ci dégoulinant rouge sombre de la cupule de bétadine, attention les yeux le lino le pantalon... Làààà ! dans le tunnel. Le beignet rose rougit sous le frotti-frotta. C'est prêt)

Tu reposes la Longuette sur le drap bleu.

Tu saisis à présent la Pozzi, cette longue pince

d'acier terminée par deux crochets fins, et tu la glisses dans le spéculum.

— *Je vais vous demander de tous-* (c'est pareil : comprends pas qu'il y en ait qui aient mal, et d'autres pas. Maintenant comment peut-on NE PAS avoir mal ? *Le col, Messieurs, est quasi-e-ment in-sen-sible.* Mon œil. Les mandarins qui disent sont pas des mandarines, et c'est bien pour ça qu'ils disent. Ça serait pas mal (et iné-dit !) qu'une mandarine raconte comment c'est quand le spéculum, quand la Pozzi, quand le mandrin de l'hystéromètre (non Monsieur, c'est pas pour mesurer la profondeur de la névrose mais celle de la matrice), bref, si elle disait ce qui se passe dans sa chère chair plutôt que dans celle de l'étrangère) se bloque avec un cliquetis clair (prévenant : *Vous avez senti quelque chose ?* Sèchement : *Ça va !* Tu parles. Question stu-pide. Sauras jamais. Ni l'acier ni les compresses ni le jus ni la pince. Andouille ! Elle hausserait volontiers les épaules si elle était dans la position adéquate) *Euh, maintenant je vais procéder à la dilatation. Ça, ça peut faire un peu mal...* (s'ac-croche un peu plus fermement aux bords de la table, serre un peu plus la main de A., ou celle de la mère, de l'amie. Du mec. Quand il est là. Situation variable : Reste assis pétrifié sur la chaise à trois mètres. Ou debout sans bouger près de la tête horizontale. Ou mains dans les poches jouant avec les clés. Parfois une main sur sa main à elle posée sur son ventre. Ou bien c'est elle qui cherche le visage là-haut, l'appelle sans rien dire. L'autre comprend ou ne comprend pas. Rare qu'il la tienne vraiment, qu'il se penche sur elle, la main dans la main portée presque à sa joue, le bras autour de sa tête. Jamais vu ça. Si, une fois. Lui la cinquantaine, elle quinze ans de moins mais des cheveux gris, comme si elle avait voulu se rapprocher de lui en quelque sorte. Lui penché sur elle, enveloppant si proche, si tendre, si dénudé de toute pudeur parasite, si doux, seulement occupé d'elle, au début la bouche dans ses cheveux lui parlant à l'oreille, plus tard leurs visages tournés l'un vers l'autre pendant tout le temps que, leurs bouches se touchant presque se parlant l'une à l'autre comme s'ils n'avaient été qu'un, pas un gémissement pas un mouvement de sa part à elle, pas un frisson, comme si son corps à lui avait tout bu tout aspiré de la douleur du chagrin du grondement, des bruits obscènes. Et Bruno pétrifié paralysé gorge nouée à les regarder ne bougeant plus main serrée moite autour du manche de la sonde, secoué par un regard étonné de A. *Quelque chose ne va pas ?* vite vite reprend le va-et-vient en baissant le nez de peur qu'ils se soient rendu compte, mais non : Elle et Lui toujours enlacés hors du monde hors de toute atteinte, et la sonde allait et venait facilement contre toute attente vu la date des, vu la taille du, vu la résistance du col aux bougies juste avant, et en un soupir trois secondes même pas c'était fini *Merci*, la sonde à l'Agente ; cling ! les pinces sur la table. Eux se tenaient encore jusqu'à ce qu'on lui place la serviette passe la petite culotte. Lui alors s'écartant doucement sans s'en aller, pudeur tendre geste intime, détournant les yeux sans la lâcher, regardant Bruno, hochant la tête pour dire c'est bien, ça s'est bien passé, comme pour le rassurer…

D'autres, un peu énervants, n'arrêtent pas de

bouger, d'aller, de venir, tournent autour de la table sans savoir où se mettre (Et pourquoi pas à la place de l'officiant pendant qu'on y est ? Vous voulez le manche ? Vous voulez regarder dedans comment c'est fait ? Vous le savez pas encore ? Vous voulez voir le petit oiseau sortir ? T'en foutrai des coups d'œil sous le projecteur. Reste donc là où tu es, à ta place. Si t'en as une. C'est pas ici, en tout cas) oui, un tout petit peu énervants ceux-là. Mais calme et pondération. On fait son possible de professionnel pour se concentrer sur le rituel et quand ils s'approchent trop (bavards, aussi, en général, n'arrêtent pas *C'est quoi ? Vous faites quoi, là ? Ça fait mal, ça ? Hein, Chérie, ça fait mal ? Non, pas encore ? Et maintenant ? Dis, Chérie et maintenant ?*) un peu trop près, alors d'un ton bien sec bien cassant (toi mon pote tu me les chauffes) *Voudriez-vous* (impératif) *avoir l'amabilité* (abrasif) *de rester près de votre femme ?* (accent tenu sur le dernier mot, surtout si c'est *juste* le copain le coquin le concubin le mec) *Merci !* Et la dame, elle, le ventre tordu, peur de ce qui va encore venir, trouve moyen — oh ! juste une fraction de seconde, un soupir — de lui jeter un regard abattu attendri : Il ne changera jamais, puis lève la tête vers le Bon Docteur entre ses cuisses écartelées, la hoche de droite à gauche : Excusez-le... Toi : Bien sûr Madame, sourire compatissant. Et le plus beau, c'est que ce dialogue ne se passe pas toujours dans le silence des têtes) tu attires le col vers toi *Inspirez profondément* (Truc. Ficelle. Faut leur faire faire quelque chose pendant qu'on. Les occuper : A. entre deux questions sur le boulot la petite famille le trajet) *Soufflez fort !* (Bruno pousse sa bougie) *C'est ça même, très bien* (oui, enfin quand on a trouvé dans quelle direction va le canal. Ça a beau être petit cet orifice, derrière il arrive que ça fasse des coudes, et alors on doit jouer du poignet : baisse, lève, essaie de trouver le passage sans forcer parce que forcer c'est forer perforer (— *T'as jamais perforé, toi ? Eh ben t'es un veinard mais ça finira bien par t'arriver. — Mais comment on le sait ? — Ha ! On le sent, on le sent bien parce que la sonde elle s'en va ffuittt ! au diable et c'est plus du placenta qui vient, c'est de l'intestin… — Et elles ? — Elles se rendent pas compte ! Incroyable mais vrai. Tu te retires, tu laisses tout propre en t'en allant, et trois semaines plus tard plus rien, fini on n'en parle plus. Solide comme tout. Mais quelles suées, mon vieux, quelles suées ! Pas ça chaque fois…*) alors doucement petit père. Si c'était une quatorze en main, on repose, on prend une douze on réessaie) *Allez-y, inspirez !* (Mmmhh…) *Soufflez fort !* (… mmmoui ça passe) *C'est très bien, on recommence* (quatorze) *Soufflez fort !* (voi-là ! Bon, combien ça fait tout ça ? Reviens ici la bougie un peu plus haut sous la lumière, jusqu'où le film humide sur tes graduations, quelle profondeur ? Neuf-dix ça correspond, allez, encore une) *Respirez bien !* (seize)

— *Soufflez fort !* (facile les trois premiers centimètres, ensuite ça coince, ça résiste. Le col est un petit peu plus dur à passer, plus serré, plus ferme, faut pousser du bout des doigts, forcer le passage quand c'est jeune (quand ce n'est pas la surprise, les bougies qui s'enfoncent comme dans du beurre, filent sans rencontrer de résistance, comme s'il n'y avait rien à dilater, rien sur les côtés rien autour et le fond loin là-bas au diable, mais pas comme si ça passait au travers, non, c'est que dedans c'est vaste (où tu vas comme ça ma vieille ?) et la 20, la 22 la 24 tout pareil, oh là là ! ça va pas, ça, dans quoi tu t'embarques ?

Moue caractéristique de A. (si tu n'étais pas sûr, elle l'est) :

— *Ça se dilate bien facilement, je trouve...*

— *Comme vous dites !*

— *Tu as combien de profondeur ?*

— *Quatorze, quinze...*

Silence respectueur. Silence-qu'est-ce-qu'on-fait.

On devrait savoir après tout c'est notre boulot. D'abord si on la reçoit ici cette femme c'est parce qu'elle veut qu'on la vide, qu'on le lui fasse passer, sauter, le polichinelle l'occupant invisible inconnu indésirable. Oui mais. Oui mais pourquoi s'y est-elle pris si tard, nom de dieu de merde ! Que la bougie n'arrive pas à éclairer toute la cavité tellement c'est large et on fait quoi, là ? La Loi dit douze semaines (autant dire deux mois et demi comme comptent les femmes quand elles savent à peu près, soupçonnent subodorent se souviennent vaguement se rappellent à peu près que ce soir-là cette semaine précise *il est revenu en permission mais il n'avait pas racheté des préserv/il est parti après la dispute et bien sûr le soir même j'ai arrêté la pilule à quoi bon mais la veille encore/on a filé à la montagne et ma plaquette était sur la table/c'est-à-dire que depuis des mois j'avais pas de rapports vous comprenez je vis seule alors je pensais pas/ça devait être cette semaine-là oui parce que c'est juste avant qu'il reparte sur son bateau/c'était sûrement à ce moment-là je vois pas quand autrement et pour-*

tant il faisait attention, elles se remémorent et surtout sont bien certaines que) deux mois et demi, et pas un jour de plus.

— *Je peux pas me tromper.*

— *Oui. Bien sûr. Nous vous comprenons tout à fait, néanmoins il semble que les dernières règles que vous ayez eues n'aient pas été de vraies règles. Voyez-vous nous comptons à partir non pas de la conception présumée mais des dernières règles qui sont le seul repère dont on puisse être sûr, ou du moins qui puisse être observé facilement.* Peut-être (pas trop leur faire penser qu'on les traite de menteuse ou d'idiote) *vos règles étaient-elles un peu différentes la dernière fois ?*

— *Non ! Pas du tout. Bien sûr, ça arrive que ce soit en retard, que ça soit plus ou moins ou pas tout à fait comme d'habitude mais cette fois-là, en tout cas c'est sûr elles étaient bien comme d'habitude.*

Sincère ou non, quelle différence ? C'est la bougie qui éclaire. C'est bougie en main que ça se nuance, que ça se traite, que ça se dessine, se décide. Sur une mosaïque d'éléments de détails, certains marqués sur la fiche, d'autres sur le visage de A., d'autres encore dans la bouillie de pensées de souvenirs de croyances d'opinions de principes. La bouillie du Bon Docteur. On y va ou on n'y va pas ? C'est à cet instant que tu regardes bien. À nouveau. Comme pour la première fois. Le visage. L'homme ou l'accompagnante. Le dossier, ou plutôt ce que tu as imaginé en le lisant. Comme pour la première fois tu entends les mots qu'elle a dits. Tu repasses. Tu révises. Tu tranches. Souverainement. Jolie frimousse voix chaude ou peur retenue pleurs secs visage angoissé je suis entre vos mains ou innocence vraie feinte sans appui je ne savais pas je suis dans le noir je suis ici allongée j'attends votre décision. Ou bien les yeux hagards comprend pas passive qu'on hésite mais ne demande rien, attend n'a que ça à faire, pas le choix qu'attendre laisser faire laisser décider, ou peut-être ne se doute même pas de la raison qui pousse la blouse blanche assise les deux mains levées à hauteur de visage de spéculum de sexe, à se tourner vers A., à regarder les gants d'un air pensif (soupir), à poser les coudes sur les hanches (soupir à nouveau), elle attend qu'il se décide, elle ne se doute pas (t'es pas si long à te décider quand son visage est désagréable déplaisant désaimable, et celui du bonhomme compagnon accompagnant idem, ou bien juste pas sympathique ou bien rien qui passe, pas là, absente, comme si elle venait juste à la révision des 500, elle regarde le mécano travailler en attendant que ça se passe, ou tous deux agressifs en entrant comme si ce qu'ils venaient chercher obtenir ici était un dû. T'es pas si long à te lever avec une grimace, demi-rictus, demi-aurait dû s'en douter et schlakk-schlakk, flopp, les gants dans la cuvette *Je suis désolé mais il faut qu'on vous fasse une échographie. Il m'est difficile d'intervenir sans savoir exactement quel est l'âge exact de cette grossesse.* Crouiiqqkk et cling, le spéculum sur le champ bleu de la table roulante. Coup d'œil-relais à A. : *On va vous faire boire beaucoup d'eau et on va demander à l'un des gynécologues qu'il vous prenne très rapidement.* Pas le temps de lui laisser dire ouf, de lui laisser demander si malgré tout l'écho montre que finalement. Veux pas le savoir.

A. les emmène dans l'une des chambres où la

dame fera son possible pour absorber le litre et demi de flotte qui, *en provoquant une réplétion suffisante de la vessie permettra l'objectivation optimale de la cavité utérine lors de l'examen par ultrasons*. Et toc.

Là, c'est pas long : On n'y va pas.

Pas envie.

Ce n'est pas comme quand quelque chose en elle t'a touché lorsqu'elle est entrée. Bougie jusqu'à la garde tu te demandes alors si malgré tout. Tu te tâtes. Tu hésites) doute pas une seule seconde, ne sait pas ne saura jamais que c'est dans cette tête au-dessus de la blouse que. Que ça n'a rien à voir avec le terme. Ni la Loi. Rien qu'avec le temps qu'il faisait en arrivant, le baromètre intérieur, l'estomac plus ou moins détendu, l'esprit plus ou moins libre des sempiternelles raisons de se plaindre. Rien que ça. Et le regard de A. Et les consignes muettes ou explicites données tout à l'heure dans le couloir avant l'entrée de *Cette dame-ci c'est un cas social. On la connaît bien. C'est vraiment pas de sa faute. C'est à cause de*, ou bien *Elle a passé beaucoup de temps avec moi à parler l'autre jour son histoire n'est pas facile elle sort d'un divorce très douloureux et*. Toujours de très bonnes raisons. Mais les raisons sont toujours bonnes dans la bouche de A. Dit la vérité. Apprécie à juste titre. Sait. Sent. Fait sentir. Fait confiance. *Tu fais comme tu veux, Bruno*. Parfois le comme tu veux c'est aussi ce qu'elle. Et si A., une femme, le pense... Le gentil adorable Bruno, lui *Bon ben, on y va passez-moi une huit* et allons-y), quand ça ne fait que dix-douze jours de retard ça résiste, il faut forcer un peu, jusqu'à la sensation de rupture, de passage, et parfois le petit cri ou le soubre-saut du bassin. *Oui, ça fait mal. C'est parce que la grossesse est toute récente*). Parfois la dame sursaute. Pas toujours. Ça dépend des dames.

Tu retires la bougie. Tu la lèves devant tes yeux, tu la déplaces dans la lumière pour distinguer la traînée d'humidité (des profondeurs, suc de l'antre, salive d'une bouche minuscule, et du coin de l'œil au fond du tunnel métallique sous la lueur de la lampe, une goutte, un fragment, un quelque chose épais commence à sourdre, à vouloir sortir après l'intrusion incursion de la bougie) deux ou trois bougies de diamètre crois-(*Plus vite tu dilates, mieux c'est pour elles, tu sais* et à chaque passage un sursaut, un gémissement, ou simplement une raideur plus grande ou même parfois rien, les paroles anodines de la conversation avec A. et enfin). Tu te lèves, tu écartes du pied le tabouret *Le plus difficile est passé* tu te retournes, tu ramasses le tuyau posé sur la machine.

— *Une sept ?*

— *Mmmhh* (scraatchh elle pèle, swiikk on ajuste, on vise, embout sur l'orifice maintenant un peu moins *punctiforme* que tout à l'heure, on pose, pvvtt on pousse avec un petit tour de poignet si nécessaire : le bout de la Karman accroche un peu au début) *Je place la sonde d'as-piration...* (ça y est, on y est. Coup d'œil sur le visage, la main que tient A., l'accompagnant ou l'amie, traction sur la Pozzi, main de l'Agente sur l'interrupteur, grande inspiration)

— *Allez-y*.

La machine se met à gronder.

Il ne suffisait pas, pourtant, de prendre des ciseaux, de la colle, une machine à écrire et des feuilles blanches pour tout mettre en forme. Ce que tu avais entrepris était trop important pour être composé comme n'importe quel autre ouvrage.

Il fallait à ton travail un support approprié : du beau papier, solide et de grain noble, sur lequel seuls les mots justes oseraient se déposer, seuls les sentiments authentiques pourraient s'exprimer. Armée d'un élégant stylo, ta main arpenterait la page dans un chuintement musical, tracerait sans pâté les phrases issues de ton expérience, et n'abdiquerait ni sous l'effet de la fatigue, ni sous l'emprise de la crampe de l'écrivain.

L'encre serait du bleu le plus pur. Elle ne traverserait pas le papier et se laisserait gommer sans peine — encore qu'il te parût improbable d'avoir à gommer quoi que ce soit sur ton manuscrit.

Les feuillets, numérotés soigneusement au fil de leur composition, formeraient une pile altière à mesure que les brouillons, ébauches et esquisses iraient emplir la corbeille à papier ou nourrir le feu de cheminée... ou peut-être seulement dormir dans une chemise spécialement dévolue à cet usage. Il n'était pas exclu, à la réflexion, que tes brouillons acquièrent plus tard une valeur inestimable.

Tu savais, bien sûr, que si beau que soit le papier, si régulière que soit l'écriture, un manuscrit ne se livre pas tel quel à l'appréciation d'un éditeur. Ferais-tu dactylographier ton travail ? Non, il y avait trop de risques de le voir trahi par des mains étrangères. Tu résolus donc de t'en occuper toi-même. Tu t'y emploierais, le moment venu, sur une de ces machines électroniques — clavier 102 touches à pavé numérique séparé, écran ambre disque dur mémoire 40 mégaoctets plus floppy, possibilité lecteur externe double cylindre en v sur l'arbre à came —, dont tu lisais chaque mois l'alléchante description dans des revues spécialisées. Tu ferais fonctionner le plus performant des derniers-nés du traitement de texte, celui qui vous met en page les essais, les thèses, les romans rien qu'en choisissant le mot clé. Tu donnerais enfin le jour à ton texte sur l'imprimante la plus sophistiquée, afin que l'œuvre issue de ton esprit soit prête, dès le premier jet d'encre, à être confiée à l'imprimeur — moyennant de rares et modestes retouches de dernière minute.

Pénétré de ces mirages, tu consacrais tes moments de liberté ou les heures volées à un horaire élastique à courir les magasins, à la recherche des supports et des outils qui te permettraient de mener à bien la partie proprement manuscrite de ton travail. Tu en profitais pour lorgner les machines, pour interroger les techniciens sur les avantages comparés de tel logiciel sur tel autre, pour recevoir des mains de jeunes femmes souriantes les prospectus polychromes sur papier glacé qui iraient grossir une autre chemise encore — réservée, celle-ci, au « matériel » — et faire grandir la confusion de ton esprit.

Tu marchais dans les rues en songeant au travail somptueux que tu allais produire, une fois tous ces instruments à ta disposition.

Mais tôt ou tard, tu te retrouvais devant la table.

Les cahiers vierges, les poignées de stylos et les publicités accrocheuses encombraient tes poches ou jonchaient la moquette, mais les mots lentement accumulés étaient devant toi et te regardaient, inchangés depuis la dernière fois que tu avais écrit avec le premier bout de crayon venu sur le dos d'une enveloppe déchirée.

Et ce que tu voyais n'était que bribes parce que, dans ta vie, les moments d'écriture n'étaient qu'instants éparpillés.

Tu avais écrit dans les interstices de tes journées. Entre deux consultations. Les soirs de calme précaire. Les matins pluvieux, avant de sortir de la voiture. Sur une table de café après une vacation plus difficile que d'autres.

Tu devais bien reconnaître que tout restait à faire. Tu en étais épuisé d'avance, et aucun des stylos multicolores, aucun des cahiers toilés, aucun des fantasmes électroniques échafaudés au-dessus d'une photo de carlingue luisante, non, aucun de ces stratagèmes n'y pouvait rien.

Les beaux outils ne suffisaient donc pas. Tu avais besoin aussi d'un lieu et de temps. Tu devais te trouver un repaire. Un refuge qui te verrait composer sans mal, sans hésitation, sans recul, sans faux-semblant. Un havre parfait, accessible à toi seul. L'idéal serait que ta maison renferme une pièce secrète dans laquelle tu pourrais te cacher sans qu'on t'y trouve, que tu puisses quitter subrepticement sans te faire voir. Que, de l'extérieur, la maison entière paraisse vide, abandonnée. Que personne ne sache que tu y travailles.

Là, tu aurais à ta disposition un bureau lisse sur lequel il ferait bon s'accouder. Une chaise qui ne rappellerait pas ton dos, tes cuisses à la réalité douloureuse de l'ankylose. Une lampe sous laquelle tous les mots seraient riches de sens. Rien ne viendrait te distraire, ni sonnerie de téléphone, ni coups angoissés à la porte, ni horaires de repas. Seul le chat aurait le droit de te rejoindre. Le plus clair du temps, il ronronnerait dans le fauteuil mais viendrait se coucher sur ton travail pour t'indiquer le moment de prendre du repos.

Tu écrirais tous les jours de 7 h 30 à 13 h 00 et de 14 h 15 à 23 h 00. Tu respecterais à la lettre un plan élaboré avec soin. Tes journées seraient rythmées par le nombre de pages écrites, les chapitres achevés. Le temps passant, tu ne vivrais plus que pour ton projet. Tu ne serais plus qu'écrivain, vissé à ton siège et à ton œuvre. Tu te laisserais pousser la barbe.

Ton isolement irait grandissant. Il te serait de plus en plus difficile de t'arracher à l'écriture pour aller travailler. Un jour, tu négligerais de le faire. Inévitablement, tu perdrais tes clients. Tu serais en fin de compte obligé de céder le cabinet médical pour une bouchée de pain. Tu devrais changer de logement. Tu échouerais en ville dans une mansarde croulante. Le plafond laisserait passer la pluie. La lucarne, le vent. La porte, les bruits de dispute des voisins avinés. Les cloisons, les gémissements convenus de la prostituée d'à côté. Tu crèverais de faim.

Et puis, tant qu'à faire, tu finirais par disparaître sans laisser d'autre trace qu'un manuscrit anonyme. Un concierge plus bête que vénal vendrait l'œuvre méconnue au prix du papier à un bouquiniste de la rue voisine. C'est là qu'elle serait enfin découverte par un amateur de beaux livres, séduit par l'aspect de l'objet, la qualité du papier, les paperolles collées, le fin tracé de ton élégante écriture. L'homme (directeur littéraire respecté d'une maison réputée) serait en un instant subjugué par la grâce de cette rencontre et la sonnerie du téléphone te sortait de ta rêverie éveillée.

Tu raccrochais rageusement le combiné. Tu notais le rendez-vous ou l'adresse… et les pages étaient encore et toujours posées devant toi.

Le stylo ouvert bavait sur les feuilles. Les ratures n'avaient pas disparu. Tu te levais en maugréant, tu haïssais le monde incompréhensif, les mères abruties d'angoisse au moindre rhume de leur enfant, les sportifs en chambre assez cons pour aller se fouler la cheville le samedi après-midi sur un terrain de foot, les vieux terrorisés par la dernière émission médicale, les hommes déprimés par leurs conditions de travail, les adolescents quémandant un certificat de bonne santé pour aller faire le zouave sur des skis ou un dériveur.

Tu rangeais en vrac les feuilles dans les chemises, les chemises dans le dossier cartonné, le dossier dans le cartable. Tu sortais, tu montais en voiture, tu hurlais de rage dans l'habitacle clos, tu te vengeais en calculant au plus large le dépassement d'honoraires qu'ils allaient raquer si ça n'était pas justifié.

Tu allais faire ton boulot.

Longtemps il en fut ainsi. Longtemps l'écriture ne fut qu'accidents, trois lignes par-ci, deux pages par-là. Dix minutes volées, assis dans la voiture, pour retranscrire une conversation. Deux heures, dans la cuisine au petit matin, arrachées à la fatigue et à la chaleur d'un corps aimé trop endormi pour te retenir.

Et puis un jour, tu as cessé d'osciller entre ces bouffées d'écriture et tes rêves merveilleux. Tu t'es aménagé une enclave dans la réalité.

Le jeudi, tu confies le cabinet médical à un plus jeune que toi et tu prends le train jusqu'au terminus. Tu sors de la gare pour monter dans un autobus. Tu descends de celui-ci pour entrer dans un café où l'on te laisse écrire sans rien attendre de toi qu'une consommation toutes les heures.

Tu occupes une table carrée dans le fond du bistrot. Tu étales tes papiers, tu écris, tu relis, tu corriges. Vers midi, le garçon te demande si tu veux déjeuner. Tantôt c'est oui, tantôt non. Tu commandes, ou bien, après avoir réglé le crème le panaché et le jus d'orange rituels, tu ramasses tes affaires et tu sors.

Tu te rends à pied, à quelques rues de là, chez un cousin vieux garçon qui travaille de deux à six, et te confie en son absence son appartement de célibataire et sa machine à écrire. Il y a quelques mois, lors d'une réunion de famille, tu as fait état de ta participation à une revue professionnelle pour justifier ta présence hebdomadaire dans la cité, tu as prétexté l'attente du train du soir et des articles à écrire pour expliquer combien tu apprécierais son hospitalité. Il est ravi de pouvoir t'être agréable.

Chaque jeudi vers une heure, tu bois un café avec lui. Il te pose peu de questions. Il te raconte ses petites misères. Tu lui prends la tension. De temps en temps, tu rédiges une ordonnance. Tu es heureux de pouvoir ainsi t'acquitter du service qu'il te rend sans le savoir. Tu pries le ciel que rien de plus grave que ses inquiétudes de solitaire ne vienne accaparer tes compétences.

Périodiquement, tu lui offres un exemplaire de la revue où, en avant-dernière page, tes initiales apparaissent sous deux ou trois notes de lecture longues d'une demi-colonne. Il te remercie avec chaleur. Il s'est un jour montré navré que tu passes autant de temps à travailler pour être si peu publié. Tu as souri d'un air modeste.

C'est un vieil appartement de deux pièces en façade. Les fenêtres s'ouvrent sur un square tranquille dans lequel gazouillent des bébés et grincent les roues des landaus. Le parquet et les boiseries craquent avec régularité. Le téléphone de bakélite relié à une installation vétuste ne sonne presque jamais. Mais cela te tranquillise d'être facile à joindre.

Le grondement emplit la salle.

Les vibrations du moteur accompagnent tes gestes. Ta main va et vient (glisse, s'englue, s'accroche) tirant poussant tournant la Kar-(nom d'un homme vidant le ventre des femmes) d'un liquide clair, de bulles, d'un magma de choses blanchâtres (formes de rien, et pourtant reconnaissables, presque familières quand on a l'habitude, à force de déjà-vu, œil de professionnel, d'expert, telle la faiseuse d'anges de jadis naguère demain une spécialiste dans son genre, sauf qu'ici l'aiguille est creuse (ça n'est que ça, finalement, une histoire de cambrioleur, un vol à la tire, effraction qualifiée au profit de femmes dont l'honneur est menacé) et branchée sur une machine. Met pas les doigts touche pas, voit de loin, regarde défiler au passage la séquence obligée, dans l'ordre entre les doigts : le liquide translucide, les fragments blancs, le sang) poussant tournant tirant dans le grondement de la machine les borborygmes les bruits de succion les sifflements (à se demander ce qu'elle entend, si elle entend, ou si, tout occupée à sentir, le bruit les bruits s'estompent et disparaissent et n'existent plus une fois la mise en route, rien qu'une musique de fond dissonnante bourdonnement parasite alors que ça tire un peu (respirant vite, dans l'attente que ça cesse, s'arc-boutant crispée regard fermé prenant patience) alors que ça déchire ça arrache, là en bas au centre du ventre, ou bien rien à entendre que ses propres gémissements (mouvements de recul, bassin qui se soulève, tête qui tourne de droite à gauche ventre qui voudrait s'en aller respiration saccadée les yeux la main cherchant l'autre qui parfois la tient déjà, ou d'un bond se lève accourt la saisit sans bien savoir que faire, ou reste assis, sans bouger sans rien dire l'air vide hébété pétrifié surgelé) à mesure que les mouvements de la sonde et de la main (surveillant d'ici, aux mouvements qu'elle fait, si c'est bien ça, si ce que sent la main se lit sur son corps) s'amplifient se précisent. Ici, le bruit n'est qu'un signal, comme les vibrations transmises par la Pozzi, comme la séquence visuelle du défilé entre les doigts, comme la sensation de résistance grattage, ou le glissement un peu obscène du tuyau là au bout, pas normal que ça glisse si bien, plus rien ne vient) là-bas ne veut pas se détacher, ne veut pas s'engager dans l'orifice. Alors tu dégages d'une chiquenaude la bague de la prise d'air (schjlloooorppbll!) *Vous me la tenez, s'il vous plaît* (une petite compresse, partie à la pêche, frotti-frotta pour y voir plus clair. Une petite Longuette (crrrouikkk!) sur le petit machin glauque cette goutte ferme débordant à peine du col *Bougez pas!* on tire doucement pour ne pas en laisser la moitié et il vient tout de même ce fuseau (effilé de ce côté-ci, mâchouillé amalgamé de l'autre) il glisse dans le spéculum (petit jet de sang qui suit emplit la cavité) glisse le long du *Je peux avoir un haricot ?* récipient drôle de gueule, et (ploc !) on dépose ce qui pendouille au bout de la Longuette (décrouikk !), l'amas coagulé on l'examinera tout à l'heure si besoin, si pas tout récupéré (cling !) la Longuette retour sur la table *Merci* reprend la sonde, vise le col à nouveau, pousse en tournant juste un peu, passe presque facilement. Elle ne bouge presque pas, ne doit pas le sentir)

— *Allez-y.*

L'Agente remet l'aspiration en marche.

Au bout de la sonde, la sensation n'est plus la même. C'est à présent la résistance (racle rêche revêche, se sent au bout des doigts, se voit sur le visage de celles qui paraissaient ne rien sentir et qui maintenant grimacent *Ça tire !* sur le corps de celles qui gémissaient fort aux premiers à-coups de la sonde — *C'est fini ?* — *Presque...* Coup de pouce (glorrppff...) sur la bague. Voyons voir, si même à basse pression ça racle encore ça résiste c'est bien vide, tiers de tour (Rracle !) tiers de tour (Rracle !) oui, fini plus rien) parfois ses plaintes et le hochement approbateur de A. (quand même on vérifie *Une six, s'il vous plaît.* Chute de la sonde usagée dans le sac au milieu des compresses, blanc rougeoyant perdu au milieu du blanc fripé en vrac la six *Merci* paraît grosse. Les Karman paraissent toujours plus grosses que les bougies, et pourtant ça passe) à l'extrémité du manche.

— *Juste une petite pour contrôler et ce sera fini* (n'aime pas qu'elle (A.) dise ça, la dame de toute façon ne comprendra pas, pas en mesure de comprendre, pas en mesure d'entendre, comme un commentaire superflu pas rassurant pour deux sous pas adéquat, mais qu'est-ce qui le serait ?) remet à gronder (deux, trois, quatre petits coups de poignet, raclement maintenant ténu imperceptible difficile à sentir avec une sonde si petite, cinq petits tours plus rien ne vient dans la sonde ou alors du sang pur, il est temps d'arrêter, six petits va-et-vient on se retire slllorrppp plus discret de la six, clic de l'interrupteur, brrrmmmm-mhhhh... de la machine qui s'éteint. Détache la Karman du bout des doigts) bassine métallique tapissée de plastique noir.

— *C'est (fini. Merci. Je vais passer à nouveau quelques compresses de liquide antiseptique sur le col, comme tout à l'heure. Pourriez-vous me remettre du cétrimide dans la cupule ? Merci. La douleur va s'estomper en quelques minutes. Si d'ici un quart d'heure vous avez encore très mal, on pourra vous donner un suppositoire pour calmer la douleur. Voilà, j'enlève la pince. Ne bougez pas, c'est presque fini. Pourriez-vous me remettre une goutte de bétadine ? Merci. Une dernière compresse. Non, ça ne saigne plus. Voilà. Très bien. J'enlève le spéculum et c'est) terminé, Madame*

Tu pensais qu'une fois le lieu choisi, cela viendrait tout naturellement : il te suffirait de te mettre à ta table et d'écrire, esquisser ton plan, mettre des grands I et des petits a, faire une ébauche, mettre un mot à côté d'un autre, regarder dans le dictionnaire, recopier, relire, raturer, réécrire, classer, retrouver... pour arracher à quelque chose qui aurait d'abord l'air d'une bouillie inconsistante, quelque chose qui enfin ressemblerait à un texte.

Tu pensais qu'il te suffirait d'être assis là, penché sur le papier. Prêt à tout et d'abord réceptif à tes propres pensées, tu n'aurais qu'à laisser émerger celles-ci pour, peu à peu, sans douleur, amalgamer l'encre aux fibres de la cellulose, filer des mots, tisser des phrases.

Tu croyais sincèrement que l'écriture est une activité manuelle requérant des outils, de la constance et du temps, et que, de l'usage de ces derniers sur l'expérience unique dont tu te savais dépositaire, un texte naîtrait, porté par ton seul désir.

Tu as bientôt découvert que ce n'est pas aussi simple.

Avant que les phrases ne forment un tissu cohérent, la plume pèse des tonnes. Les vingt fois trois-ou-quatre-feuillets, naguère rédigés sous l'effet d'impulsions irrépressibles et dans le feu d'une excitation presque joyeuse, s'avèrent à la relecture constamment décevants, toujours indignes de la force que tu croyais leur avoir injectée.

Les notes pénétrantes, les intuitions géniales, les réflexions inouïes, les pensées inédites ne sont que des commentaires convenus et insignifiants. Tu n'oses pas admettre n'avoir produit que cela.

Tu croyais benoîtement que l'objet de ton travail surgirait du mélange de ses ingrédients. Tu découvres que les mots ne sont faciles à tracer que lorsqu'ils sont inconsistants. Tu ne savais pas que la glaise doit être longtemps pétrie pour prendre un semblant de forme, et qu'il y a loin de la forme à la cuisson.

Les forces te manquent. Une telle dépense d'énergie te paraît dérisoire. Est-il possible que tout ce que tu remues ici ne soit qu'anecdote ?

C'est que tu le vois ce livre, tu le vois achevé.

C'est un jeudi. On est au milieu de l'après-midi. Il doit faire soleil, même si l'on est en plein hiver. Tu viens de finir. Tu n'en reviens pas. Tu as tout relu, tout corrigé. Tu tasses les feuillets en une liasse compacte. Tu la considères avec un mélange d'étonnement, d'émotion et de fierté. Une larme perle à ta paupière.

Tu te ressaisis. Le plus difficile est fait, mais la suite exige beaucoup d'énergie, elle aussi.

Tu sors, tu marches jusqu'à la librairie du quartier. C'est une boutique minuscule et sombre, mais tu l'avais presque tout de suite repérée lorsque tu as commencé à venir travailler ici le jeudi. Elle est tenue par un homme sympathique, chaleureux. Ce dernier a vite remarqué ta présence hebdomadaire. Après avoir pris la mesure de tes goûts, il t'a recommandé les écrivains ou les ouvrages que tu ne manquerais pas d'apprécier. Tu l'as d'abord remercié de ses conseils et plus tard félicité de la pertinence de ses intuitions. Depuis, tu n'entres jamais dans sa boutique sans échanger avec lui de longs propos éclairés sur vos lectures respectives.

Tu entres. Tu ignores les tables de nouveautés. Tu as toujours pensé qu'un livre parle d'abord par la manière dont il se présente matériellement, hors des artifices de mise en scène auxquels il est soumis. Une fois passé le temps des bandeaux rouges, des piles de bonnes ventes du mois et des encarts dans les journaux, le livre reste nu, serré en rayon entre d'autres livres, empilé au hasard parmi les exemplaires défraîchis des bouquinistes, posé en attente sur une table de nuit ou l'étagère d'une bibliothèque.

Alors seulement, le lecteur inconnu peut le rencontrer vraiment, le découvrir sans entremetteur.

Il y a déjà bien longtemps, lors de tes interminables préparatifs à l'écriture, tu as relevé le nom des éditeurs susceptibles d'apprécier ton travail. Ta liste comporte une demi-douzaine de noms honorables et distingués.

Sur les étagères de bois sombre, tu repères les

productions récentes et anciennes des six ou sept élus.

Tu saisis les livres l'un après l'autre. Tu les regardes, tu les soupèses, tu les feuillettes, tu les jauges.

Tu scrutes chaque volume, pour déceler dans son aspect (taille, couverture illustrée ou austère, texte de quatrième page, présence éventuelle d'une photographie de l'auteur) l'effort d'adéquation de la forme au contenu. Tu cherches à lire sur l'objet-livre les relations entre éditeur et écrivain, la nature du contrat passé entre ces deux personnes aux intérêts convergents mais dissemblables : assujettissement ou respect mutuel ?

Tu interromps ton analyse silencieuse lorsque le libraire risque un commentaire pénétrant sur l'importance de l'aspect des livres. Il te conforte dans les opinions que tu es en train de te forger, au travers d'exemples fraîchement puisés au gouffre de l'édition et au panthéon de la littérature.

La cause entendue, le bon grain séparé de l'ivraie, tu rentres chez toi. Tu ne fais qu'une seule copie de ton travail. Tu insères le manuscrit original (l'objet qui porte presque à chaque page tes empreintes digitales, d'invisibles traces de sueur, l'ombre des taches de café gommées à grand peine, les retouches de dernière minute faites au prix d'inconcevables acrobaties sur le rouleau de la machine) dans une splendide reliure à pinces toilée de rouge.

Tu confies ton bien à un solide emballage normalisé. Avant de le refermer, tu joins à ton envoi une lettre laconique et polie, au contenu mûrement pesé, et flanquée de tes coordonnées postales et téléphoniques.

Tu portes le colis dans un bureau un peu éloigné de ton domicile.

Tu attends avec confiance.

La réponse ne tarde guère : ton manuscrit a « retenu toute l'attention du comité de lecture des Éditions N. ». Celui-ci est composé en tout et pour tout du patron et d'un unique directeur littéraire. C'est ce dernier qui t'invite à donner des suites rapides à sa lettre.

La rencontre est d'emblée cordiale. La qualité de ton ouvrage a emporté l'adhésion dès les premières lignes. Ton interlocuteur, un homme insigne et renommé mais inconnu au photomaton cathodique, lève à peine un sourcil lorsque tu avoues n'avoir adressé que ce seul exemplaire. Tu goûtes le silence qu'il laisse délicatement planer avant de te proposer de parler affaires.

Cela va sans dire, tu restes seul maître des droits. Il ne fait d'ailleurs aucun doute que tu sois très prochainement amené à les monnayer sous la forme d'une publication de grande diffusion et d'adaptations médiatiques variées. Il n'ose te demander si tu auras la bonté, pour tes chefs-d'œuvre à venir... Tu laisses entendre que bien entendu, les éditions N. auront ta préférence.

Il n'existe absolument aucun obstacle à ce que tu décides de l'aspect de ton livre. Tu n'éprouves d'ailleurs aucune difficulté à le définir dans les moindres détails. Tu as déjà choisi le papier, le caractère (le baskerville de préférence au garamond), la mise en page. Tu as aussi déterminé

— et ceci, depuis longtemps —, la date de parution.

Au regard interrogateur de celui qui est devenu ton Ami, tu précises que cette décision cache un hommage discret à un écrivain auquel tu portes une considérable admiration *et qui a disparu en mars, il y a 7 ans*.

Le sourire d'intelligence de l'autre, en face, te conforte dans l'opinion sans faille que tu te fais de lui depuis la première minute.

Ton livre paraît à la date dite, sous l'aspect que tu as choisi. Il est, bien entendu, un immense succès de librairie.

C'est à ce moment-là que ça commence à se gâter.

C'est terminé.

Tu retires *(le spéculum. Attendez, Madame, posez vos fesses, s'il vous plaît ! J'enlève mon matériel. Si vous serrez je ne peux pas... Voilà. Merci. C'est terminé. Encore juste)* déjà enlevé le petit traversin de sous la nuque de la dame *(une* dernière compresse, cueillir la goutte *toute* rouge vif ou orangée fuyant le long de la *petite* vulve. N'aime pas voir le drap taché, les fesses rougies marquées *seconde)* l'Agente a ôté le couvercle du bocal *(Posez vos pieds sur le bord des jambières)* sur la prise d'eau de l'évier. Elle tourne le robinet *(et nous allons vous aider à vous allonger sur la table, poussez avec vos pieds, voilà... Est-ce que ça va ? Ça fait)* lave les parois bouillonne un bref instant *(encore mal ? Voulez-vous quelque chose pour la douleur ?)* se penche vers le profond évier et se met à tamiser le contenu dans une passoire métallique *(Vous voudrez bien lui donner un suppositoire, s'il vous plaît ? Non, non, restez allongée ! Il n'y a pas le feu, reposez-vous un peu)* serviette dans l'entrejambe et l'aide a enfiler son slip (alors, en général on cesse de la regarder, on détourne les yeux, on s'éloigne. On attend que les acrobaties soient terminées et puis on passe sur le côté de la table, à hauteur de son regard, là où se trouvait A. il y a quelques secondes, on pose la main sur l'épaule, on lui parle à nouveau, on tente de déceler sur son visage ce qui reste de l'instant écoulé *Vous avez encore mal ? Ça va passer. La douleur va s'estomper rapidement*).

Tu jettes les gants dans la poubelle métallique, tu retournes vers la paillasse, et la main encore blanche (enfarinée comme si elle sortait de la pâte humaine, sur les gants les bouts d'ange) stylo accroché à ton col (n'aspire pas celui-là, crache et fait des taches, laisse des marques laisse des traces critchcritch ! petit insecte rongeur de papier) « Utérus rétroversé. Volume proportionnel au terme. Patiente calme. Karman 7 puis 6 » (utilitaire bavard. À quoi sert le dossier ? Est-ce qu'on le lira plus tard ? Est-ce qu'on a envie de le lire quand ça fait la trois quatrième fois qu'elle vient ? Est-ce qu'on a envie de savoir comment ça s'est passé ? Ça n'intéresse personne. Et puis d'ailleurs, à quoi bon écrire lisiblement quand tous les autres font des pattes de mouche ou de vagues hiéroglyphes ?)

Du coin de l'œil (tache rouge-orange festonnée au fond de la passoire, ou bien bouillie rosée caillots rouge sombre débordant du treillis métallique, fragments pas encore tamisés au fond du bocal. Lorsque ça déborde (*Un haricot s'il vous plaît)* on verse le contenu de la passoire dedans, on tourne le scialytique : lumière sur les parois du récipient.

Du bout des petites pinces ramassées sur la

paillasse on fouille on touille on cherche. Longtemps pas su le faire, reconnaissais rien, distin-
guais que dalle, laissais A. s'occuper de ça, la
regardais trier les fragments, extraire du magma
les débris insignifiants, les identifier, saisir du
bout de la pince (chuchotant) *Ça c'est un bras...
Ça fait un bon douze. Peut-être même treize*, les
repousser vers le bord encore vide du récipient
Tiens (chuchotant toujours, tous deux penchés
côte à côte sous la lumière tandis que derrière, la
dame encore allongée sur la table parle avec l'accompagnante le mari (quand il est là) l'Agente,
ou bien ne dit rien) *en voilà un autre. Et de deux.
La colonne...* mettre à part les formes minuscules
qu'elle seule apercevait au sein de la bouillie,
extrayait du bout de sa pince. Longtemps pas
pu le faire. Savais bien pourtant que passé onze-
douze semaines on doit vérifier s'assurer comp-
ter, les quatre membres s'ils y sont le reste doit
y être aussi *Je crois que c'est bon. Tu avais un
bon grattage ? Oui, de toute façon ça correspond
bien...*

Oui, même quand dans la passoire ça ne
déborde pas, juste une flaque un peu gluante
Regardez, qu'est-ce que vous en pensez ?

— *Ça correspond.*

— *On ne lui demande pas de test de contrôle ?*

— *Oh, je ne crois pas. Tu voulais le faire ?*

— *Non, non, je voulais juste avoir votre avis*, A.
est la référence. Pas d'erreur si elle dit que ça va.
Pas d'arrière-pensée si elle n'en a pas. Reconnaît
les hésitations. Dépiste les moues dubitatives.
Fait dire ce qui inquiète. Rassure ou conseille
d'aller de l'avant. *Je crois qu'on peut être tranquille.* Ou bien : *Je pense qu'il vaudrait mieux que*

tu vérifies à nouveau. *Avec une petite. Tu veux bien ?* Veux bien, veux tout bien si elle le dit. Les Agentes pas dupes, l'autre jour dans l'office :

— *On disait que sans elle vous étiez perdu !* (rires) *Mais notez bien il n'y a pas que vous : Monsieur R. aussi.*

— *C'est vrai, lui non plus il n'aime pas qu'elle soit en vacances, il demande toujours si elle est là avant de commencer !*

— *Oui, et pourtant ça fait bientôt dix ans qu'il travaille dans le service !*

— *Remarquez notre surveillante elle a ses petits chouchous* (rire rougissant de A.) *quand elle dit Monsieur Sachs, elle a tout dit !*

Vague réplique empruntée, regards qui se croisent et se fuient, parce que ce n'est pas faux, parce que l'absence de A. est malaise, parce que de temps en temps à la pensée qu'elle soit absente ou bien qu'elle prenne sa retraite...

— *Bah, je pourrais, mais qu'est-ce que tu voudrais que je fasse toute seule chez moi ? Mes enfants sont tous partis. Je préfère venir ici le matin.*

Sourire de reconnaissance (soupir de soulagement) *Eh bien tant mieux, nous non plus on n'est pas pressés*) « Une demi-passoire. Bon grattage » au bas de la feuille blanche.

Tu signes. Tu soulèves le coin de la première feuille pour accéder à la feuille orange (critch-critch une petite feuille, critchcritch une autre. Beau paraphe, ronde signature, B élégant, S ample et fort, le reste un peu perdu mais l'un dans l'autre inimitable, tant qu'à signer autant que ça soit présentable, autant que ça ne fasse aucun doute, surtout sur la feuille statistique :

jamais le nom de la dame, jamais rien qui puisse l'identifier mais le nom du médecin de l'exécutant responsable en charge des hautes œuvres en toutes lettres et la signature complète tout le nom Bruno Sachs un peu penché le S plus haut que le B et le tout petit point à la fin et le tout petit trait juste dessous) Madame X... a bien bénéficié de deux entretiens successifs.

Derrière toi, A. aide la dame à se redresser, à s'asseoir sur la table. *Ça va aller ? Ça ne tourne pas ?* Elle la soutient (penchée au-dessus de la cuvette métallique tapissée d'un sac en plastique noir, cherchant peut-être à voir reconnaître identifier lancer un premier et dernier regard à ce qui ce que celui celle. Parfois, pendant la séance de fouille du haricot, elle a élevé la voix timidement :

— *À quoi ça ressemble ? Je peux voir ?*

— *Non !* (reprenant, tout de suite très vite) *Il n'y a rien à voir. Ça ne ressemble pas à un bébé, si c'est cela que vous voulez savoir.*

Non, mais.

Horreur de penser qu'elle puisse vouloir jeter un coup d'œil dans la passoire. Ça ne lui appartient plus. Nous a chargés de l'en débarrasser. Pas envie de le lui brandir sous le nez. Sang, bouillie rosâtre, plus ou moins mâchouillée malaxée par la machine. Fini. Parti. Plus rien. Pas envie de voir la tête qu'elle ferait si) Tu refermes ton stylo, tu le remets dans ta poche.

— *On va vous emmener dans une chambre pour vous reposer, et je passerai vous voir dans un petit moment.*

Parfois la dame répond *Merci Docteur.*

— *Venez, on a déjà emporté vos affaires dans la chambre.*

Elle sort, soutenue par A., suivie par le mari l'amie la mère.

Tu jettes, plus que tu ne poses, le dossier sur un coin de la paillasse. Tu te frottes les mains pour les débarrasser de la poudre blanche. Tu les rinces sous un jet d'alcool. La seconde dame n'est pas encore (pause, répit, entredeux, récréation). Tu sors dans le couloir. Tu attends. G. ou J. sont venues demander comment ça s'est passé (conversations de couloir. Passage hall de gare. Une ou l'autre des douzaines de femmes qui travaillent à côté au-dessus en dessous : venues emprunter du café ou rapporter une boîte de sucre ou tailler une bavette, un dossier à la main ou même pas. Venues faire une discussion domestique, voisines de palier, le mari les enfants les patrons les patientes (ah ! les bourgeoises femmes de libéraux maquillage bijoux attentions spéciales de la part de ces Messieurs les spécialistes) bref, venues encombrer les couloirs traverser de leur regard à peine concerné le seul mec présent (tiens ! l'avorteur c'est lui aujourd'hui) comme s'il n'était pas là. Toujours entre deux portes, jamais gênées jamais discrètes jamais vraiment agressives mais juste pas à leur place ; pas d'ici, bien que A. et les Agentes les reconnaissent les accueillent leur parlent)...

Bientôt, l'Agente (ménage fait, c'est-à-dire drap de papier retiré plié posé sur le sommet de la cuvette métallique tapissée d'un sac en plastique noir, nouveau drap de papier posé sur le drap de tissu lui-même changé si tout à l'heure taché pas essuyé la vulve assez vite, petit traversin replacé, bocaux rincés machine en place, compresses imbibées d'alcool ou carrément la serpillière passée sur les taches du lino :

— *Je peux aller chercher la dame suivante ?*

— *Mmmhh*) son sac son panier à la main essaie de deviner dans quelle direction (toutes pareilles, même et y compris si elles sont déjà venues) devant toi, tu la guides de la voix et du bras tendu, tu la suis (se retourne deux fois, vérifie est-ce que les portes sont fermées, là-bas celle de la salle d'attente, ici celle du couloir pas question de laisser passer des cris si jamais la fantaisie la prenait) le dossier des mains de l'Agente (avant de sortir la nouvelle batterie de cuisine, retourne à l'évier regarde au fond la bouillie précédente encore présente hors des regards dans le haricot la passoire

— *Vous avez vu ?*

— *Mmmhh...*

— *Je peux* (comment leur demander de ne pas le dire alors que c'est bien ce qu'elles font : elles retournent le haricot la passoire sous le robinet ouvrent l'eau, la bouillie se dissout se dilue, tourbillon, se débine) *jeter ?*

— *Oui. Ça ira...*) tandis que derrière le rideau de la cabine la dame suivante entreprend à son tour de se déshabiller.

Ton livre, ton sacré livre, on se l'arrache, et on ne parle plus que de ça. Immanquablement, il fait l'actualité. Tu parais à la une, tu parades aux lucarnes, tu perches sur les ondes. On te loue, on t'applaudit, on t'adule. Tu récoltes bientôt en espèces et en nature les fruits de ce succès.

Et tu sais que tout cela est scandaleux.

Ton livre ne se vend que parce qu'il étanche la soif d'atrocités de tes congénères. Sous prétexte de littérature, tu as dévoilé des horreurs très quotidiennes, très communes, vécues par n'importe qui. Tu as fait là bon marché de la chair et des sentiments humains. Tu as construit ta renommée sur le sang des enfants à ne pas faire naître, sur la souffrance des femmes que tu as vidées. Dans la surenchère vers l'horrible, tu viens de franchir un nouveau pas.

Tu es un salopard. Un assassin. Une ordure.

Les mines énamourées de tes admiratrices béates ne font pas long feu sous le regard de tes juges : les femmes passées entre tes mains t'ont bien reconnu sur les photos des magazines et les écrans dépolis ; les patients qui venaient te confier leur corps dans le secret de ton cabinet, apprenant à quelle douteuse confession tu viens de te livrer, se sont sentis souillés ; tes amis, tes parents, tes amours restent à distance en silence.

À présent, tu te détestes d'avoir seulement imaginé que ce livre serait publié. Tous ces fantasmes sont indécents. Tu regardes les feuillets dépareillés avec un dégoût grandissant. Une idée insoutenable vient pour la première fois t'effleurer : ce que tu tentes d'écrire, as-tu le droit de le porter au jour ?

Les femmes qui se sont allongées sur la table, qui ont ouvert leur corps pour laisser passer tes instruments de tueur, l'ont-elles fait pour ta gloire ? Ont-elles bu leur honte, leurs remords, leurs regrets à ton seul profit ?

Tu as beau ne citer aucun nom, tu as beau ne pas te souvenir des personnes dont tu as noté les réactions, dont tu racontes l'histoire, qui t'autorise ainsi à faire de ces secrets un spectacle ?

La douloureuse vocation de l'artiste comme témoin est une bien piètre justification. Tu n'es pas Picasso peignant Guernica. Tu t'es porté un jour volontaire à une tâche. On te paie pour l'accomplir. Personne ne demande à connaître tes états d'âme.

Et puis, tu es médecin... « *Admis à l'intérieur des maisons, mes yeux ne verront pas ce qui s'y passe, ma langue taira les secrets qui me seront confiés...* »

Avec frayeur, tu entends déjà les débats haineux entre partisans et adversaires.

« — Un livre courageux ! »

« — Un monceau d'immondices ! »

« — Enfin ! un homme sort de l'ombre pour reconnaître aux femmes leur dignité d'individu et la liberté de choisir leur vie ! »

« — Ce salaud livre en pâture à tous la souffrance de femmes irresponsables et acculées au crime ! »

Tu n'oses pas imaginer ton attitude au milieu de cette bataille. Tu ne te reconnais dans aucune des deux parties. Sans conviction, tu argues ne parler pour personne d'autre que toi-même. Tu invoques la phrase de Brecht : « *Celui qui ne sait pas est un imbécile. Celui qui sait et ne dit rien est un assassin...* » pour en percevoir immédiatement toute l'ambiguïté en ce qui te concerne.

Tu es un lâche.

Ces pensées t'assaillent et font monter en toi une incoercible angoisse. Plusieurs jeudis de suite, tu es incapable d'écrire.

Tu t'accroches pourtant à ton rituel, au moins dans les grandes lignes. Tu prends le train pour la cité, mais tu lis le journal au café. Tu te rends chez ton cousin, mais dès son départ tu sors, tu erres dans les rues passantes, tu déambules entre les étalages du marché installé sous le métro aérien.

Tu te mêles à la foule. Tu scrutes le visage des ménagères et des marchandes de volaille, celui des jeunes femmes aux ongles rouges qui dans leur Austin bleu métallisé s'impatientent aux feux, celui des mères de famille s'escrimant entre cabas et poussette, celui des vieilles dames marchant à pas comptés derrière des bassets obèses.

Tu cherches à déceler sur leurs traits quelque chose, un indice, un signe, un message qui te dise quoi faire. Qui t'indique quelle décision prendre.

À mesure que souriantes ou fermées ou absentes ou revêches, elles défilent devant toi, tu comprends que tu fais fausse route une fois de plus.

Tu retournes à l'appartement. Tu sors les feuillets du dossier cartonné. La réalité a sédimenté sous tes yeux, incontournable, et tu ne voulais pas la voir.

Ton livre n'existe pas. Tu n'as encore écrit pour personne, car ce que tu as écrit tu l'as écrit pour toi. Personne ne peut te lire. Tu n'as aucun message à transmettre, et même s'il en était autrement tu ne saurais pas à qui l'adresser. Ce que renferment tes papiers n'a aucun sens parce que tu ne sais pas encore ce que tu veux lui faire dire. Tu étais trop imbu de tes sentiments pour accepter d'en toucher la pauvre émanation, de la traiter comme un matériau et non comme un objet d'adoration. Tu n'as encore rien fait. L'alternative est celle-ci : tu peux écrire pour faire vivre hors de toi ce qui grouille entre tes yeux et ta nuque, ou bien tu dois accepter que cette bouillie reste bouillie, sur le papier comme dans ta tête.

Tout l'imaginaire — glorieux ou haïssable —, toutes les tergiversations n'ont surgi que pour mieux masquer ce dilemme.

Mais tu ne supportes pas ces pensées. Tu ressors.

Tu retournes à la librairie. Tu t'enquiers de l'existence d'ouvrages de qualité sur un sujet... délicat. Sa surprise passée, le libraire puise dans sa mémoire quelques titres, sort de ses rayons quelques volumes. Aucun d'entre eux ne t'apporte la réponse. Comment, d'ailleurs, pourrait-il en être autrement ? Ni les témoignages, ni les études statistiques, ni les pamphlets, ni les professions de foi ne ressemblent à ce que tu veux écrire. Ce que tu brûles de faire est si..., est tellement...

À nouveau tes épaules s'affaissent. Ton désir n'est rien. Ton livre n'existe pas. Un livre n'est qu'un livre après tout, un objet rectangulaire 256 pages brochées. Tu n'es qu'un homme parmi d'autres. Tu es debout dans une librairie.

Tu as plusieurs dizaines de volumes sous les yeux. Tu les regardes avec tendresse. Ils ont quelque chose d'amical, de réparateur. Ils te parlent. Tu les aimes. Tu en choisis un. Tu fermes les yeux. Tu caresses la couverture.

Tu caresses le livre inconnu, et tu imagines les gestes d'un inconnu sur ton livre. Il le tourne, le soupèse, lit attentivement le texte de dernière page amoureusement écrit à son intention. Tu passes la pulpe de ton doigt sur la tranche. Dès qu'elle rencontre une aspérité tu glisses fermement, mais sans brutalité, tes phalanges entre les pages, et tu ouvres le livre. Il l'ouvre, lui aussi, repère l'épigraphe, la dédicace, la table des matières, choisit une page au hasard, lit quelques instants. Le libraire observe son manège, risque *sotto voce* :

— C'est un livre difficile, mais fort intéressant...

L'autre lui retourne un sourire amical mais discrètement peiné, et, selon son éducation et la familiarité de ses rapports avec le commerçant, soupire doucement :

— Oh ! vous savez, j'en ai tellement à lire en ce moment...

ou encore :

— Ah ? Pourtant ça ne me dit rien du tout...

Le livre te tombe des mains.

Il entraîne dans sa chute toute une pile de bonnes ventes du mois. Le libraire, qui t'a observé tout au long de ton échappée sur place, vient t'aider à ramasser les dégâts. Il semble déçu par ta maladresse, et inquiet de ta santé mentale.

À nouveau en proie à la panique, tu te précipites dans la rue en bredouillant des excuses. Ta course se ralentit aux abords du square. Mû par une ultime bouffée d'espoir, tu pousses le portillon vert d'eau. Tes pas font crisser le gravier, craquer les feuilles mortes. Tu finis par te laisser tomber sur un banc de bois délabré. Au bruit de ton cœur et de ta respiration saccadée se superposent les grincements des landaus et des balançoires. Tu regardes longuement les enfants jouer dans le sable. Cette atmosphère idyllique t'apaise, mais ne t'apprend rien. Tu as épuisé tous les stratagèmes.

Tu retournes à l'appartement et, parce que tu n'as rien d'autre à faire pour justifier ta présence en ces lieux, tu te mets à relire tes papiers. Mais cette fois-ci quelque chose d'autre t'habite. La lecture est une activité magique, mais passive.

Tu as lu vingt fois *Les Trois Mousquetaires* mais tu n'as jamais pu empêcher Milady d'empoisonner Constance. Tandis qu'écrire est un acte de pouvoir.

Tu relis et à présent, tu rayes ; tu surcharges et tu insères ; tu retires et tu permutes. Tu glisses des feuilles dans le rouleau de la machine, tu tapes comme un sourd, tu ne penses plus qu'à faire du mal à ce qui t'en a tant fait. À triturer ce qui, jusqu'ici, te travaillait.

Ce soir-là, lorsque ton cousin rentre chez lui, tu t'interromps à peine. Il te salue en s'étonnant de te trouver là encore. Tu continues à taper frénétiquement.

À la dernière minute, tu ranges tes affaires en vitesse, tu dis à peine au revoir, tu dévales l'escalier et tu galopes jusqu'à la gare. Tu sautes dans le train à l'instant où il s'ébranle.

Tu te laisses choir lourdement dans le premier siège libre ; ton souffle est court, tes jambes flageolent, ton cou te fait mal. Tu as faim et soif. Autour de toi, les autres passagers lisent la presse du soir, tricotent, donnent une caresse au chat enfermé dans un panier, vérifient trois fois de suite qu'ils ont bien composté leur billet, racontent à leur voisin la meilleure de la semaine.

La sangle blanche du dossier cartonné dépasse sous le rabat du cartable. Tu te relèves, tu ranges le cartable dans un porte-bagages. Tu danses entre les genoux pliés pour parvenir à ôter ton blouson. Tu le plies. Tu le déposes sur le cartable. Tu te ravises, tu reprends le blouson, tu fouilles toutes les poches l'une après l'autre avant

d'en sortir un porte-monnaie, tu remets le vête-
ment dans le porte-bagages.

Tu souris bêtement au monsieur dont tu viens
d'arracher le journal, à la dame dont tu viens
d'écraser le pied. Tu sors du compartiment, tu
te diriges vers le bar. En passant un soufflet,
tu remarques que tes doigts sont constellés de
taches rouges et noires.

Tu entres dans un cabinet de toilette. Tu pisses.
Tu te frottes les mains avec le savon en poudre.
Tu repousses une mèche rebelle sur ton front. Tu
ressors dans le couloir.

Les inter-(viennent se faire désemplir, font le ménage par le vide ; elles aspirent à ne plus être pleines, ils aspirent interrompent avortent. Tas de termes à n'en plus finir, et comment nomme-t-on ceux qui ? L'autre jour dans un canard médical pour généralistes attardés, un article mal foutu mal écrit pas clair, les appelait « ivégistes ».

Oui Madame, i-vé-giste ! Pourquoi pas interrup-tueur ou éventreur ? Et aspirateur, pendant qu'on y est ?

Fonction-définition. Réflexion-inspiration. Ins-pirez profondément, nous aspirons pour vous. Les soupirants absents n'ont pas leur place ici, d'ailleurs la place n'y est plus pour personne puisque c'est ça le boulot justement : faire le vide) décide de cette partition. Aujourd'hui (on connaît la musique, et les dames savent qu'on la connaît pour elles, d'un côté deux récidivistes désolées *mais j'ai oublié de revenir pour la pilule* et de l'autre une de ces jeunes accouchées sur qui ça retombe cinq mois après, encore pleines du petit, de la petite dernière, *et pourtant j'avais pas envie mais vous savez comment c'est, un homme...*

Celles-là sont tristes, mais n'ont pas tout à fait la même conversation. En général. Ça change un peu des politesses amicales des dames qui font comme si : on sait bien qu'à la sortie, rideau sur la mémoire. Même si elles reviennent l'an prochain dans trois mois, elles auront tout oublié, toujours *navrée* toujours *désolée surprise étonnée, pourtant depuis le temps je devrais savoir.* Ben oui. Vous devriez.

Fatigant.

Certaines poussent un peu loin le couplet de la pauvre femme mère de huit enfants dont quatre du concubin qui en voulait un autre la semaine dernière mais aujourd'hui vous comprenez avec le chômage. Elles poussent, oui, et même jusqu'à vingt-deux et alors tintin, Fernande ! C'est plus de mon ressort. Par ici Milady ! Passez la Manche, vos Anglais reviendront... Ou alors, ça fait douze semaines et *trois* jours. En théorie. Apparemment. Enfin, d'après ce que dit le toubib de ville. Qui n'en sait rien. Mais suppose. Un p'tit test pharmacie, un p'tit papier illisible, un p'tit coup de bigophone à ceux qui font que ça tous les jours que Dieu fait, bien qu'ils n'y croient pas, et que je vous adresse Madame qui débarque, la gaine serrée jusqu'au dernier cran. Pour peu qu'au toucher ce soit limite (mais-si-on-l'envoie-à-l'écho-et-que-ça-dépasse-treize-elle-n'a-pas-les-moyens-d'aller-en-Angleterre-elle), alors A. : *Tu fais comme tu veux mais vraiment c'est une pauvre femme.*

Et qui se retrouve au bout de la tuyauterie à

suer parce que ça ne vient pas ? C'est l'adorable Bruno) *vous revoir tout à l'heure* (vous parler vous dicter vous prescrire vous entendre geindre vous faire comprendre que non, vous n'êtes pas ; et peut-être vous suggérer fortement que le bonhomme blouse blanche, quant à lui, en ce qui le concerne, de son côté, n'est pas non plus) *servir les dames ?*

— *Bien sûr ! C'est prêt... Vous avez des consul-* (Vous avez pas fini votre travail. Vous pensez tout de même pas que vous allez vous (en) tirer comme ça. Vous assurez aussi le service après vide-ventre... Ah, mais oui ! Non seulement elles vous confient le soin de leur arranger ça, mais en plus elles tiennent à revenir voir le même, dans la même salle de triste mémoire, sur la même table inconfortable.

La même gueule la même blouse les mêmes paroles le même doigtier.

Si encore seules les belles et jeunes et fraîches et sensibles et intelligentes revenaient, on pourrait se dire. Enfin, rêver. Penses-tu ! Elles reviennent toutes. Enfin presque. Enfin, de toutes les sortes. Pas de préjugé. C'est pas une affaire de belle gueule bonne tête qu'est-ce qu'il est gentil. C'est tout bonnement que ce qui a été commencé doit être terminé. Mené à terme. Achevé.) le semainier ouvert sur le bureau.

— *Les consultations sont arrivées ?*

— *La seconde, mais pas la première* (les noms sur le cahier, les petites annotations juste à côté : DV : déjà venue ; CP : consultation pilule ; Pré ou post : sans commentaire ; P.St : pose stérilet. À la place du mort)

— *Tu prends la consultation* (la prendre,

s'éprendre, se déprendre et se reprendre. De passage seulement. Même si elle affiche un beau visage et un corps parfait. Comme la patiente qu'il (Lance, encore) avait un jour reçue : grande, brune, bronzée, ravissante. Cette fois-là, il n'avait pas fait entrer l'externe dans la salle d'examen. Pas fou. Après l'avoir reconduite à la sortie, il s'était assis lourdement, gêné, ému, avait ricané :

— *Je comprends qu'il y ait des médecins qui baisent leurs clientes. Tu vois, cette femme je l'ai opérée d'une malformation rénale, elle a eu quatre enfants, et elle a le même corps qu'il y a dix ans.*

Silence. Colère rentrée de l'étudiant en pleine crise féministe faudrait pas le prendre pour un petit con. Pourquoi exhiber les patientes quelconques et garder pour soi la créature de rêve ?

Silence éloquent. Lance venait d'armer l'enregistreur de poche pour dicter sa lettre de consultation. Il le repose sur le bureau, regarde l'étudiant-dents-serrées et, articulant chaque mot :

— *Ça ne gêne pas vraiment une femme qu'on la voie nue lorsqu'elle est devant un médecin. Ce qui peut la gêner c'est qu'on la voie nue sous le regard d'un homme.*

L'étudiant avait pesté sans répondre contre le commentaire phallocratique de son patron bien-aimé)

(Jeune con !)

— *Madame T...*

Tu la fais entrer devant toi. Tu la regardes hésiter sur la direction à prendre, ou marcher droit vers la salle d'examen, adresser au passage un imperceptible bonjour à l'Agente penchée sur son évier.

Elle entre, et tu dois parfois la rete-(wouppp, attendez un peu ! Venez par ici, on va pas vous sauter dessus comme ça, venez un peu vous asseoir, on n'est pas aux pièces, on n'est pas à la bourre, ici c'est un centre d'orthogénie et de planification, pas un Gynéco-center. Pas pareil.

Là-bas, forcing spécialisé des ventres qui ne s'emplissent jamais, ou forceps-césarienne-cerclage de ceux qui se vident mal-à-propos... Ici, prévention-traitement des grossesses courantes, nor-males, im-promp-tues, i-no-pi-nées, trop faciles trop naturelles. Bien le temps de vous allonger. D'abord on discute un peu, on échange quelques paroles, on fait connaissance ou retrou-vailles, on s'a-ppri-voise)

— *Que puis-je* (puise dans les documents sur les genoux. Dossier blanc de consultation vide : « Pré- », pas encore prévenue (pré-avortée avertie en vaut encore deux, mais plus pour longtemps). Dossier orange à rabat : « Post- », comme une lettre écrite décachetée relue. Ah ! (pastille rouge en haut à droite) déjà venue. Allons bon... (sur le rabat intérieur) 1979 Docteur C., 1983 Doc-teur D., 1985 Docteur D. one more time. Dossier bristol jaune, feuilles accrochées par un trom-bone et petits onglets de couleur du temps de la mécanographie : CP ou « suivi St »...

Bon, voilà, c'est mieux de savoir à qui l'on a affaire, touche finale sourire professionnel mots affables :

— *Je suis le Docteur Sachs. Nous ne nous sommes jamais rencontrés auparavant, je crois ?*, ou :

— *Alors, quoi de neuf depuis la dernière fois ?*)

Elle vient parfois parce qu'on lui a conseillé de venir *(... C'est pas facile, c'est qu'on a peur d'être mal reçues, mais on m'a dit qu'ici)* mêle à ses symptômes la description de ses difficultés financières (faute au patron qui veut la pousser à démissionner) maritales (au mari à l'ami au copain l'a cloquée l'a frappée l'a plaquée) ou contraceptives (et puis au médecin qui lui dit jamais rien et la prend pour une imbécile...)

... le fil d'un rituel sans histoire (tellement reposant de voir deux ou trois dames pour de petits problèmes quotidiens : saigne un peu trop ou pas assez, le vagin pique un peu, les seins ça tire un peu, le ventre ballonné ce serait pas les ovaires ?

Reposant, parce que l'angoisse alors n'a rien à voir avec l'angoisse d'avoir une chose-qui-pousse-dans-le-ventre.

Même la peur de l'*autre* chose-qui-pousse (celle avec des pinces, celle qui mutile et emporte, celle qu'on *en*-lève pour qu'elle ne vous tue pas, tandis que la première on la tue pour ne pas l'é-lever), est facile à contenir par les paroles, les deux mains sur les seins *Non, je ne sens rien d'anormal c'est probablement une douleur intercostale, c'est tout à fait bénin, tenez ça doit* (enfoncé dans les côtes) *être ça, non ?*

— *Ouïie !* (et le sourire qu'elles font) *Alors ce n'est pas le sein ? Tant mieux, j'ai eu si peur...*

Reposant, parce que diffus, éparpillé : les yeux cernés les cheveux qui tombent la peau qui ride le cou qui pèle le dos qui gratte les jambes qui gonflent les hanches qui enflent, en un mot tout le corps et puis aussi le cœur, le cœur qui fait des bonds. Et celui de Bruno, donc !) *si vous voulez bien aller vous déshabiller...*

Elle fait bouger le rideau en ôtant ses vêtements. Cette fois-ci, tu es seul avec elle dans la salle d'examen. Le dos tourné à la cabine...

— *Est-ce que j'enlève le haut ?* (un peu ! Va pas nous gruger nous frustrer nous ôter les seins de la vue ? Si la beauté est de ce monde comment ne pas la rechercher là où ça commence ? Toutes pareilles ! Elles croient pas vraiment qu'elles vont nous montrer que la zone comprise entre le nombril et les genoux ? Dans les magazines, ça bave devant la médecine *globale*, et ça veut pas qu'on leur voie les globes... Ou alors c'est qu'on les a habituées à faire comme ça pour aller plus vite. Encore un coup fourré des spécialistes du pubis !... Elles sont pas toutes comme ah ! mondieu mondieu mondieu quand j'y pense... Elle n'avait rien demandé, rien de rien, et elle était sortie sans rien dire de derrière le rideau, qu'elle était belle et brune, du haut en bas pas un carré blanc (c'était en contrôle. La fois d'avant, avec la chemise de nuit on ne voyait que le bas, forcément), et voilà Bruno (tout d'un coup plus un poil de sec) qui la regarde escalader l'escabeau sans hésitation, et avec un charmant sourire demander candide

— *C'est bien ainsi qu'il faut que je m'installe ?*

— *Gargll...*

— *Je vous demande pardon ?*

— *Rrhheuu, pardon, je disais* (voix éteinte) *que c'était parfait...* et le Bruno tremblant s'approche d'elle allongée calmement sans bouger sur la table, s'emmêle les pinces dans les tuyaux du sté-

172

thoscope et du tensiomètre. Encore heureux que c'est pas à lui qu'on la prenait, la tension. Pose à peine le pavillon *(Rrrhhhmmm... Respirez fort...)* sur le sein rond parfait irréel inouï incroyable c'est un rêve comment est-ce possible ? Osant téméraire de sa voix moribonde

— *Vous êtes partie en vacances au soleil à cette époque-ci de l'année ?*

— *Oui, mon ami et moi allons tous les ans en février dans un camp naturiste aux Antilles...*

Ce jour-là bien sûr toutes les questions (mal aux seins aux règles au sommeil au désir) étaient ineptes, idiotes, inappropriées et inutiles. Tous les gestes, incongrus. Tout le bonhomme, incompétent)

... joint les mains sur son ventre ou les laisse le long du corps ou les pose pudiquement sur ses seins, en évitant de te regarder.

Tu prends sa tension (sa main, son poignet, son bras, puis les seins, le cou, puis le ventre, les cuisses, les jambes, les chevilles, tout ce qui est à prendre au moins une fois entre les mains, les mains partout chaque recoin.

Prends donc, tu ne le feras plus de sitôt, plus jamais.

Lance, au secours ! Salaud, tu n'avais rien dit rien expliqué du tout, seulement planté là le germe de ce que tu savais. Et maintenant que ça ressort, que ça remonte quand celle qui est allongée là se laisse toucher palper manipuler sans rien dire, que faire ?

Triste. Tellement triste.

Bonhomme blouse blanche = médecin.

Médecin = praticien neutre et bienveillant.

Formé pour écouter et soulager la souffrance.

D'autrui. Pas pour poser ses sales pattes sur les corps tendres et innocents, encore moins suggérer proposer préparer des rencontres. Même brèves. Pas moral. Sais même pas s'il est moral de *penser* qu'on pourrait, le cas échéant, à l'occasion, la sympathie mutuelle aidant... Si encore l'interdiction venait seulement de la Loi. Du nanan ! Faite pour être violée, elle, la Loi. Pourrais de temps en temps... L'ennui c'est qu'elles ne veulent pas ! Elles sont venues justement parce que le Docteur Sachs, praticien sérieux (elles ont payé pour le savoir), ne se moquera pas d'elles ni de leurs inquiétudes, ne les brutalisera pas, leur laissera dire ce qu'elles auront besoin, envie de dire. Les rassurera. Les soignera. Les paternera gentiment. Restera à distance. Qu'il soit d'agréable figure ne gâche rien. Séduction gratuite. Sans danger. Tout bénéfice pour ces dames qu'un homme bien fait de sa personne les écoute et les soigne) le pouls en écoutant son cœur battre.

— *Respirez fort... Toussez...*

Ensuite, tu examines ses seins, méthodiquement, l'un après l'autre.

— *Vous arrive-t-il d'avoir mal aux seins au moment de vos règles ?*

Tu poses les mains sur son ventre (ça ressemble à des gestes d'amour, ça tient à si peu de chose : la façon dont on le fait, trop douce ou trop appuyée, qu'est-ce que ça peut vouloir dire les mains d'un étranger sur elles, même consentantes, corps de femme sous main d'homme, il se passe bien quelque chose, non ? Toucher palper caresser. Toute la nuance est dans les mains. Et dans le temps qui s'écoule, un petit peu trop long pour que ce ne soit pas agréable, un petit peu trop lent pour être vraiment... clinique.

Attouchement équivoque. Dans les limites de l'admissible. Et on passe rapidement à autre chose)

— *Vous n'avez pas mal non plus pendant les rapports ?*

(si vous en avez !... Et avec qui ? Souvent ? C'est comment ? Ça vous fait plaisir ? Ça vous débecquette ? Il est beau ? Vous l'aim-Ho ! Stop, on se calme. Pas le moment. Elles ne se gêneront pas pour en parler. Le moment venu. Après. Rhabillées, assises à nouveau face au bonhomme blouse blanche, les mains posées cette fois sur stylo et papier. Elles laisseront échapper le soupir qui annonce quelque chose à dire, le silencieux mouvement de tête qui vous fait interrompre

— *Oui ?*

— *Je voulais vous demander... C'est normal que je n'aie pas envie... depuis l'interruption ? Enfin mon ami trouve que c'est inquiétant... Enfin je me demandais si je pourrais un jour... Je veux dire... Ça va revenir je sais bien mais vraiment en ce moment...*

Et lorsque viennent les paroles convenues *Vous savez beaucoup de femmes ressentent la même chose. C'est assez habituel. Il n'y a là rien d'anormal. C'est parfaitement compréhensible*, est-ce que ça répond à la question ?

Certificat de normalité. Le médecin a dit que. Pas de queue. Le temps qu'il faudra. Salaud ! C'est pas lui qui reste allongé dans le lit, le dos tourné au dos tourné, et s'agite seul sur un truc qui pendouille parce que si elle n'y met vraiment

pas du chien, du sien, zéro ! Elle, tranquille, pai-
sible, recroquevillée, endormie. Autorisation de
castration. Par intérim.

... ou bien, encore allongées sur la table elles
lancent, comme ça en passant
— *Vous savez je n'en ai pas eu depuis trois
semaines...*
— *Vous n'en aviez pas envie ?*
— *Non, pas vraiment...*
sur le ton des salons de coiffure, et sourient
quand le robot au spéculum (c'est froid, donc ce
n'est pas humain, donc ce n'est pas dangereux,
donc) cliquette *C'est bien compréhensible) un
frottis cette fois-ci, n'est-ce pas ?*
— *Euh, oui, je crois...*
Avec un long coton-tige et une spatule de bois
tu frottes l'orifice (lisible comme un visage, ridé
fripé déchiqueté, ou pas là, presque introuvable,
petit huis de jeune fille juste pubère ou vaste
puits de femme déjà plusieurs fois mère, le col
dit des choses, et les hommes ne le voient jamais
sauf lorsqu'ils viennent regarder au-dessus des
épaules sous le scialytique juste avant le passage
de la sonde.

Le seul qui le voit toujours en parle drôlement,
dit des choses inconnues inédites étranges. Elle
sait pas, la dame, qu'elle a ça dans le fond du
tunnel, ne le sent pas, pas beaucoup en tout cas,
pas d'habitude. Pas tant qu'on ne lui passe pas
quelque chose à travers. Ne sait même pas comment c'est fait.

Alors le bon Docteur explique avec les mains
Votre utérus a à peu près la taille de mon poing le
serre le tient en l'air le montre de côté en présen-

tant cette face colimaçon que produisent l'index et le pouce repliés *Vous voyez, quand on pose un spéculum on voit un orifice un peu comme ceci plus ou moins large selon que la patiente a déjà accouché ou non, et du bout du coton-tige on frotte comme ça…* Explicite. Visuel. Peuvent pas ne pas comprendre… *et on regarde les cellules au microscope pour dépister les cancers débutants.*

Là, en général, silence sans commentaire.

Sympa, le mec ! Non seulement il vous vide mais en plus il annonce qu'il vous cherche un cancer. Qu'est-ce qu'il va encore inventer comme catastrophe ?) écartes les grandes lèvres. Tu glisses les deux doigts gantés de la main droite (bientôt fini, ça finit toujours comme ça, dernier acte, derniers gestes. Ensuite peut-être on parlera un peu.

Peut-être.

Ça dépend : Pas pressé, reviendrons s'asseoir après le rhabillage, le griffonnage ; elle sur la chaise, bibi sur le tabouret. Pressé, on expédie. On fait son boulot. On jette quelques notes sur le bristol, on bâcle l'ordonnance *Nous allons retourner voir la secrétaire pour qu'elle vous fixe votre prochain rendez-vous !*)

Tu sens le train ralentir.

Tu lèves les yeux de la feuille. Tu te souviens vaguement avoir entendu, il y a un instant, une voix haut-parlant annoncer quelque chose.

Tu soupires, tu grognes, tu t'étires. Ta mer de tranquillité ne va pas tarder à grouiller de vies. Tu commences à rassembler tes affaires. Tu ne veux pas te soumettre au regard mi-excédé, mi-voyeur des passagers qui dans un instant envahiront le wagon en nombre. Tu te replies près de la fenêtre.

Comme d'habitude, sur le quai c'est Hong-Kong. Cette fois-ci, tu as droit à deux secrétaires, une vieille dame et trois cravate-attaché-case. Les premières alterneront raccords de maquillage et mérites respectifs des chefs de bureau. La deuxième gardera figés son sourire son manteau et son sac. Les nœuds de cravate seront, simultanément ou en alternance, manipulés du bout des doigts entre deux raclements de gorge. C'est tout vu.

Au moment où tout le monde s'installe, tu as préventivement rassemblé les feuilles en une seule pile posée sur tes genoux, glissé le cartable sous le siège contre tes mollets, rangé les stylos dans leur étui. Tu sens peu à peu monter la colère froide qui t'envahit chaque jeudi à la même heure. Tous ces étrangers indifférents, murés dans leur petite vie étriquée, ignorent la grandeur de ce que tu composes sous leurs yeux. Ils passent trois quarts d'heure à tes côtés sans imaginer une seule seconde que tu souffres le martyre pour eux ! Enfin, peut-être pas exactement pour eux. Mais tu dois bien souffrir pour quelqu'un. Non ?

Tu soupires, et puis tu te mets à ricaner en silence. Aujourd'hui, tu as mis moins de cinq minutes à te calmer. Quel progrès. Tu relèves la tête. Non, personne ne te regarde. Tu balances entre tout ranger et continuer ta lecture. Le bruit feutré de la porte du compartiment t'empêche de prendre une décision.

Elle est vêtue d'un imperméable clair, porte un sac en bandoulière. Ses cheveux sont tirés en arrière. Elle demande si la place qui reste est libre. Avec son sourire maternel, la vieille dame te bat au poteau. Les jambes se décroisent, se replient pour la laisser passer. Des regards variés l'accompagnent par-dessus poudriers et cols blancs.

Qu'est-ce qu'elle vient faire ici, celle-là ?

Tu l'aperçois chaque jeudi sur le quai. Elle monte en tête et passe dans le couloir devant ton compartiment. Mais elle n'est jamais entrée ici auparavant, c'est toujours bondé. Au terminus, il arrive qu'elle prenne le même autobus que toi.

Elle s'assoit à côté de la dame, presque en face

de toi. Elle te regarde un long instant. Tu crois déceler sur son visage de la tristesse et comme une consolation de te voir en face d'elle. Elle commence à ébaucher un sourire. Tu es une statue de sel. Peut-être décontenancée par la fixité de ton regard, elle baisse les yeux.

Tu éprouves quelque difficulté à deviner son âge. Entre 30 et 35 ans. Son visage est lisse mais pas enfantin. Les vêtements ne te renseignent pas beaucoup plus. Elle est... comme un livre sans illustration de couverture, un dimanche matin dans la vitrine d'une librairie de province.

Elle fouille son sac, en sort un agenda (un de ces gros machins fermés par une bande velcro), un stylo, et se met à écrire. Elle écrit vite, malgré les cahots du train. Elle couvre plusieurs feuilles recto verso. Elle semble ne vouloir s'interrompre sous aucun prétexte.

Les deux poudrières la regardent, échangent une moue ironique, gloussent. L'une d'elles susurre :

— *Ça marche, l'inspiration ?*

Elle se fige, lève la tête, cherche à comprendre ce qu'on vient de lui dire.

Plus rapide que la foudre, tu aboies :

— *Comme vous la peinture en bâtiment !*

Le poudrier tombe de l'échafaudage.

— *Meeeerde, ma robe !*

— *Eh, attention, tu m'en mets partout !*

Avant que le nuage mauve ait fini de retomber, la femme jette stylo et agenda dans son sac et s'enfuit du compartiment. Tous les regards se retournent contre toi. Tu souris d'un air faussement navré. Tu te lèves avec nonchalance, tu poses tes papiers sur le siège. En sortant, tu pries mentalement la brave dame de pardonner le dérangement, tu souhaites aux poudrières une lourde note de dégraissage, tu te gratouilles ostensiblement la pomme d'Adam en passant devant les cravates.

Elle n'est pas allée loin. Elle s'est adossée à la paroi, au bout du couloir. Elle regarde les poteaux défiler.

Tu ne la rejoins pas. Tu t'accoudes à une fenêtre. Tu la regardes. Elle pose sa nuque contre le métal et ferme les yeux.

Tu regrettes ta sortie. Tu as pris le commentaire du poudrier comme s'il t'était destiné. Elle aurait sans doute réagi d'une autre façon. En bondissant ainsi, tu n'as fait que la mettre en difficulté. Tu devrais aller lui présenter des excuses.

Tu t'écartes de la fenêtre, tu commences à marcher dans sa direction, et tu la vois se tourner vers toi. Ses yeux t'intiment l'ordre de ne pas l'approcher. Tu hoches la tête faiblement. Tu retournes dans le compartiment.

Tu ne sais plus très bien quoi penser. Tu scrutes le canevas du dossier cartonné posé sur tes genoux. Tes yeux arpentent les lignes de tissu encollé, tracent un invisible motif, élaborent un labyrinthe sans entrée ni sortie. Tu ouvres le dossier, tu essaies de remettre en ordre ce que tu y as jeté en vrac tout à l'heure. Au détour d'une page dactylographiée, les mots te font signe d'avancer.

À la fin de chaque con-(oui, Madame ! je relis mon œuvre, et qu'est-ce que ça peut vous foutre ? Il y en a qui se pomponnent le museau dans le train, moi en semaine je m'astique le stylo dans ma chambrée, et le jeudi je frotte les taches...)... et quelques ordonnances.

Les dossiers sous le bras, tu entres (Bougez pas, non bougez pas, le Docteur ne fait que passer vous êtes si occupées toutes deux tous quatre à discuter on ne va pas vous déranger) *plus mal ?*
Elles répondent non, ou hochent la tête, ou posent la main sur leur ventre.
— *Un peu, mais ça va* (Y'a intérêt ! (la bouffée soudaine de haine et de rage) que ça aille, vu que le brave con de Sachs vous a (et dire qu'elle fait semblant de ne pas comprendre, et que l'autre assis à côté silencieux fait comme si de rien itou) tenu la sonde pendant près d'une demi-heure un siècle une éternité (la nappe de sueur sèche qui colle encore à la chemise) fourraillé dans ce trou sans fond qu'on (connard de médecin à la noix *Je vous remercie de ce que ferez pour elle*, t'en foutrai

des remerciements de tocard qui n'examine pas les femmes. À dû se dire que l'avorteur n'avait qu'à se démerder, après tout c'est son boulot il est payé pour ça) n'a pas bien mesuré évalué (ta faute aussi, mon bon ! T'avais qu'à te méfier de ce qui te courait le long du dos quand tu n'as pas senti son pamplemousse *On vous a déjà dit que votre utérus était basculé en arrière ?*

Visage étonné *Euh, oui peut-être*, de la dame. Ben voyons. Noie le poisson...

À l'aide !

— *Je ne le sens pas très bien.*

— *Tu crois que ça fait plus que le terme ?*

— *Oui... Non !... Je sais pas...*

— *On demande une échographie ?*

Le brave docteur Sachs soupire d'un air fatigué hausse les épaules se retourne vers la patiente-pauvre-femme.

— *Oh, non. On va bien voir...*

Et il voit.

D'abord la plus petite bougie qui file sans hésiter, glissouillant comme un rien dans les tréfonds humides, le col benoît sans résistance, pépère. Voyons, monte-z-en une plus grosse, 18 : facile ; 22 : oh-oh ! 24 : Ouh là là ! dans quelle galère ? et l'Agente timidement *Vous voulez une vacurette neuf tout de suite ?*

Mais non. Le bon docteur refuse encore de traduire dans ses gestes ce qui tout dans les faits lui signifie déjà. Mais non mais non, une simple Karman huit suffira...

Ben voyons.

Zsssloupp ! fait la huit à travers le beignet ramolli.

Et s'emplit illico de liquide translucide.

Aïe ! S'il y en a tant c'est que ça fait un petit peu plus de douze) subodoré sur votre bonne figure de dame bien innocente, l'air absent de celle qui surtout ne veut rien savoir n'est pas là est ailleurs ne participe en aucune manière.

Débrouillez-vous ! L'avorteur c'est vous, je ne suis que la victime innocente et désespérée, au boulot ! (grondement giclement le bocal s'emplit d'abord de jus clair la sonde ensuite se teinte mais pas beaucoup, ça vient mal et puis ça ne vient plus, là-bas ça n'accroche pas, ça glisse comme dans un conduit trop bien huilé les va-et-vient de la main, tire-pousse-tourne du poignet n'y font rien, la machine gronde toujours au même rythme, mais plus rien dans le tuyau.

Bon, on se retire, on regarde un peu l'entrée. Rien. Donc c'est dedans que ça se passe. Le magma blanc veut garder le lit. On remet ça) ne dit pas, mais le pense, la dame au regard vide, tandis que le copain le coquin le mari, quand il est là, reste assis sur la chaise sans bouger sans regarder personne sans voir ni savoir...

Plus tard, bien plus tard dans la chambre vos regards croisés de couple moyen, vos yeux éberlués *Ah bon, c'était si avancé que ça ?* feront gronder l'envie très nette de vous étrangler proprement tous les deux (schlooorpsssffflll !... putain ça colle ! Mais pourquoi ça vient pas ? Tant pis, les grands moyens. Tire sur la sonde sans libérer la prise d'air, tire en aspirant et bien être pendu si le fuseau ne suit pas... Ah oui, c'est sûr, ça tire un peu sur les bords, mais ne vous en faites pas une matrice comme la vôtre c'est bien arrimé, avant qu'on la décroche — Ah ! Voilà...

Arrêtez la machine. Merci. Tenez-moi ça... Pêche-nous ça, petite Longuette, le fuseau collant glu (plof!) dans le haricot... Bien! on va pouvoir finir.

Que tu crois...

Parce que tu as beau *Une autre huit s'il vous plaît*, ça ne racle toujours pas, ça ramène toujours quelque chose sang débris bouillie blanc rouge rose, là-derrière dans le bocal, mais pas ce qu'on attend, et le front perle et pique et tu ne peux pas te gratter le nez, et le poignet s'ankylose à force, et l'enfer c'est quand tu penses que tu n'en finiras jamais de l'agiter cette sonde à la con, de la vider cette cave sans fond sans fin sans dimensions, sais même pas où tu te trouves, aspiration aveugle et ça continue à venir et... il manquait plus que ça, tiens! maintenant ça saigne, tu retires la Karman tu regardes mais tout ce que tu vois c'est du sang la sonde rougie jusqu'à la garde, le col qui pisse le vagin inondé le spéculum qui déborde, allez, compresse (floc) compresse (floc) et on y retourne) car vous ne savez pas vous ne saurez jamais vous ne voulez pas savoir ce que ça fait d'être au bout, vous avez éteint toute lueur de compréhension, tout ce que vous vouliez c'est que ça soit fait eh bien c'est fait, mais juré, plus jamais! C'est la dernière fois, plus jamais plutôt crever, allez vous faire voir, vous faire vider ailleurs, rien à cirer, z'aviez qu'à penser plus tôt que faut pas pousser trop loin (grouillements grognements borborygmes, le sang coule à présent du spéculum sur le drap, t'as beau éponger compresse après compresse ça coule encore, si ça saigne tant c'est bien qu'il en reste, bocal à moitié plein un demi-litre déjà et meeerde... Takk ! la prise d'air, pouce, on s'arrête.

Dos de la main sur le front (l'asepsie va te faire foutre) les lunettes qui gouttent embuées les enlève, les fourre dans la poche pas besoin de voir de toute façon *Passez-moi une vacurette numéro neuf*.

Tu aurais dû commencer par là, disent les yeux de A.

Elle te prend en pensée par la manche (la dame, inerte et bouffie, attendant l'embaumeur, n'en a pas besoin, elle) *Une dix ça ira mieux*, et hoche la tête pour plus de sûreté.

Va pour une dix. Aussi rigide que les Karman sont souples. Transparente comme une éprouvette. Légèrement coudée au bout, avant l'orifice, et plus difficile à passer dans le col. Traction sur la Pozzi, vise au pif au milieu du massacre, pousse, tourne voaaaalà ! tu y es — Ah tiens ? Madame se tortille un peu quand même. Pas dommage. Désagréable, savez-vous, l'impression de vider une momie. Vous savoir vivante est, comment dire, plus... tolérable, *Allez-y !*

Si ça vient pas ce coup-ci, rends mon tablier.

Grondement plus sourd, la vacurette colle plus fort là-dedans. Pas possible d'aller et venir comme tout à l'heure, tout au plus des petits coups de poignet pour faire tourner, devrait y en avoir que pour quatre ou cinq clopinettes, ça fait combien, dix siècles que tu y es ? Va savoir (la montre brinquebale dans la poche contre les lunettes, l'enlève toujours avant d'enfiler les gants) et ça colle, quart de tour, ça tient, quart de tour, ça colle merde merde merde, quart de tour ça — Ah ! ça y est, ça vient bien maintenant par tous les bouts oh, dis donc tout ce qu'elle gardait encore par-devers elle oui, c'est bon ça vient le poignet peine moins la vacurette accroche, d'ailleurs la dame aussi (grimaces) trouve le temps long, allez pour terminer *Redonnez-moi donc une huit*) vous n'aviez qu'à penser que pour le bonhomme blouse blanche votre regard vide est insupportable, à vomir, qu'il est, votre étonnement visqueux *C'était bien plus long que ce qu'on nous avait dit !*

— *Oui Monsieur, parce que la grossesse était plus avancée* (vous tuerais volontiers !) *que vous ne le pensiez, aussi je tenais à vous dire* (et la huit racle à présent, va et vient presque avec joie en voyant le visage défait de la momie, oui tu la sens maintenant tu dérouilles un peu, tu es revenue avec nous, un petit quart de tour, deux petits quarts de tour (Faut que je vérifie Madame que ça racle bien partout que je finisse mon boulot) trois petits (Vraiment navré que ce soit si douloureux mais faut c'qui faut je voudrais pas avoir à revenir aux urnes après le dépouillement) quarts de tour — Voilààààà, takk ! (Schloorpfff...) *Merci.* Cette fois-ci c'est bien fi-ni !) *que si j'ai pratiqué aujourd'hui cette interruption (Ne bougez pas, Madame, on vérifie...) de grossesse je me trouvais au-delà des délais légaux et qu'il n'est pas question une seule seconde que cela se reproduise, et c'est pour votre* (foutu menteur) *bien que je me* (retiens de les bouffer. Le moment où le mari bien intentionné moustache en dehors hoche la tête rejette pilule et stérilet et tout le reste *Elle le supporte pas*, lui saute dessus aboyant *Ah, et vous préférez qu'elle se fasse avorter, alors ?* le vois se recroqueviller tout étonné que le bon docteur bienveillant arrangeant (et qui travaille si proprement) se tape un coup de sang... C'est que, dame ! pendant le moment sans âge qui a vu s'écouler l'organisme indésirable entre ses doigts, le sang du professionnel n'a fait aucun tour et le cœur suspendu se remet seulement à battre, et le poignet fait mal, et le dos hurle à la mort, et les jambes cessent à peine de flageoler et trop c'est trop : aspirer des petites mousses à des dames qui dérouillent sans calcul on peut faire abstraction, mais quand déjà la grosse a tout absorbé englouti encaissé et reste sur la table absente pas là pas concernée, et que tandis que le tuyauteur reniflant sous la lumière patauge dans le haricot, le moustachu jusqu'alors impassible sort de son mutisme l'air vaguement ennuyé :

— *C'est bientôt fini ?*

— *Oui, je dois vérifier que nous avons bien tout retiré...*

— *Ah bon, parce que vous comprenez pendant ce temps la boutique est fermée, vous savez ce que c'est un commerce, on va bientôt pouvoir s'en aller ?*

...

brusquement envie de tout leur envoyer à la gueule le dossier cartonné la bouillie les papiers et d'aller le choper par le col le traîner à l'évier les lui fourrer sous le nez le haricot la pince le scialytique en prime venez donc regardez mon vieux c'est instructif, à quinze semaines c'est plus seulement du coulis de fraise à la crème, c'est de la vraie purée de groseilles avec les fruits entiers, tenez, prenez la pince, mais prenez-la donc !

Cherchez touillez fouillez farfouillez là-dedans vous y verrez des choses intéressantes, ce petit pied menu, tiens une jolie colonne et ce bras bien tourné et ces grands yeux noirs comme ils sont quinquets

Et merde.

C'est mieux dans l'autre chambre.
C'est plus calme.

Surtout quand elle est seule. Quand elle n'attend personne, quand elle n'attend que le moment de manger un peu, de recevoir comme promis la visite du médecin, comme prévu l'ordonnance, comme convenu la feuille jaune d'instructions diverses et variées. Quand elle n'attend plus que le moment de se rhabiller, de sortir, de s'en aller.

C'est bien, quand elle ne reste pas recroquevillée sur elle-même. Quand elle se retourne au bruit de la porte, sourit un peu en voyant entrer l'homme en blouse, quand elle se redresse et s'assoit dans le lit. Quand elle accepte de le regarder. Quand elle accepte de parler.

C'est bien, quand elle est dans le lit assise. Prête à recevoir. Elle n'a plus mal, elle ne fait pas triste figure. Ou alors à elle-même, oui, mais pas à celui qui entre.
Elle dit que ça va mieux. Elle regarde l'homme

en blouse s'asseoir sur une chaise tout près d'elle, feuilleter sa pile de papiers et tirer du dessous une liasse qui porte son nom. Elle le regarde prendre une ordonnance. Écrire. Elle répond sans impatience. Elle répond par oui ou par non. Parfois, oui, elle a des questions à poser. Elle les pose. Elle demande s'il y a quelque chose de particulier à faire, des précautions à prendre.

Quel genre de précautions ?

Eh bien, pour les jours qui viennent, s'il n'y aura pas d'incidents, une infection, des saignements. Et puis... quand est-ce que je pourrai recommencer ?

Recommencer ?

À la mine éberluée de l'homme en blouse, elle rougit.

Oui. C'est peut-être bête comme question. Recommencer à avoir des rapports. Recommencer une grossesse.

Elle voit qu'il ne comprend pas. Elle lui raconte.

Une histoire de coliques néphrétiques. Un médecin qui prescrit des radiographies. Des règles en retard, à la même époque.

L'histoire toute simple d'une femme heureuse d'être enceinte et qui sent tout s'écrouler autour d'elle lorsque le médecin lui annonce froidement que, les radios ayant été faites après la conception présumée, n'est-ce pas, les risques de malformation...

L'histoire d'un déchirement entre le désir et la peur. La peur des rayons invisibles qui vous trouent la peau et font des images de squelette.

L'homme en blouse blanche la regarde essuyer

les larmes silencieuses qu'elle vient de laisser échapper.

Elle dit Voilà pourquoi je voulais savoir si je pourrai bientôt. Recommencer.

Il dit Quand vous voudrez. Quand vous en aurez envie. Le mois prochain. Les rayons n'ont eu (il hésite, elle ne sait pas qu'il se retient de dire « peut-être ») des effets que sur la grossesse passée. Ils n'en auront pas sur la prochaine, bien sûr... Vous avez envie de recommencer tout de suite ?

Elle dit Oui. Non. Je ne sais pas. Je voulais savoir s'il y avait un délai à respecter.

Il dit Il n'y en a pas. Ce mois-ci, même...

Elle croise les bras et hoche la tête. Non, je vais prendre ce que vous allez m'ordonner. On m'a dit que c'est pour faire cicatriser l'utérus.

Il dit Oui, après l'aspiration.

C'est ça, je vais le prendre. C'est mieux. Je préfère attendre un peu.

L'homme en blouse ne sait plus quoi dire. En lui se bousculent la tristesse, la colère et la honte.

La colère envers le médecin le radiologue qui l'ont acculée là, ces tocards on n'a jamais prouvé qu'une si faible dose de rayons X, ils auraient pu la rassurer, ou se la boucler, et non ! il fallait qu'ils ouvrent leur grande gueule mais *après*, seulement, au lieu de lui demander *avant*, si par hasard. Et le mec le mari l'amant, où est-il celui-là, qu'est-ce qu'il fabrique, pourquoi n'a-t-il pas jugé bon ce salaud de venir aujourd'hui avec elle ?

La honte de n'avoir pas cherché à savoir plus tôt.

Ah ! s'il avait su, il aurait pu lui dire, lui ! Il aurait affirmé, soutenu mordicus, prouvé par A plus B documents à l'appui de sa voix magistrale, qu'il n'y avait pas de risque. Qu'elle pouvait se le faire son bébé, qu'elle pouvait se laisser emplir. Il l'aurait sauvée, lui. Il l'aurait arrachée... à ses propres pattes de videur-tueur. Les aurait sauvés tous les deux. S'il en avait eu le temps. La force.

Si.

Il soupire, il dit Est-ce que vous vous en voulez de l'avoir fait ?

Elle hausse les épaules Oui. Un peu. Mais je ne regrette pas. Je n'aurais pas supporté de vivre dans ce doute. Et c'était plus facile d'en finir tout de suite.

Elle se tait, puis, tout bas, demande On ne voit rien, n'est-ce pas ? Quand vous... l'enlevez, vous ne voyez rien ?

Il serre le stylo laqué, visse et dévisse le capuchon.

Non, on ne voit rien. Rien qui ressemble à quelque chose d'humain. Surtout quand c'est si... jeune. Quand la grossesse est récente.

Elle dit C'est pour ça qu'on me donne un test à faire dans trois semaines ?

Oui, c'est pour ça. Pour s'assurer que c'est bien terminé.

Elle se tait. Il se remet à écrire. Il écrit son nom à lui en haut à gauche, son nom à elle à droite, à la même hauteur sur la page. Il rédige l'ordonnance. Il se lève. Il lui tend la feuille.

Il dit On va vous apporter à manger. Il ne sait pas quoi dire, au revoir bonne journée tout lui paraît stupide alors il ne dit rien, il la salue de la tête et d'un sourire, se détourne et se dirige vers la porte.

Il l'entend faire un petit bruit d'inspiration.

La main sur la poignée il se retourne Oui ?

Elle a porté la main à sa bouche, elle dit Je voulais vous demander. Je suis venue aujourd'hui parce qu'on m'avait dit que pour moins de dix jours de retard, on ne me ferait qu'une... induction de règles, c'est ça ? J'ai... Vous m'avez fait une aspiration. Mais si les avor... les interruptions de grossesse se font aussi par aspiration, quelle est la différence ?

Il lâche la poignée. Il grimace, il revient se tenir juste en face d'elle. D'une main il tient les dossiers bien serrés contre lui. De l'autre il s'accroche à la barre métallique au bout du lit. Il parle avec difficulté.

C'est une différence... administrative. Ça n'est pas comptabilisé de la même manière. On ne fait pas payer le même prix. Et puis, on pense que c'est moins... difficile pour certaines femmes, de ne pas appeler ça une interruption de grossesse.

Mais c'est la même chose. Non ?

Si, bien sûr. Vous le savez. C'est la même chose.

———————————————

Tu as tiré deux traits sous la dernière phrase.

Tu lèves la tête. Son sac toujours posté au même endroit, la vieille dame fait mine de ne pas te regarder.

Tu n'es pas très content de ce que tu viens d'écrire. Comme c'est souvent le cas, tu ne sais pas pourquoi tu as écrit cela. Peut-être pour épuiser ta colère. Peut-être pour ne pas penser à la femme disparue dans le couloir. Peut-être aussi parce que depuis des semaines tu relis sans arrêt le paquet posé sur tes genoux sans parvenir à t'extraire de la confusion qui l'a produit et qui renaît à chaque lecture ; sans parvenir à le reprendre, le corriger, le réécrire, à en faire quelque chose. Tu ne parviens qu'à écrire plus avant. Tu ne sais qu'accumuler.

Ça ne peut pas avancer.

Dès que tu te mets à écrire, les souvenirs bouillonnent, éclatent comme des bulles à la surface de tes yeux. Ils remontent, s'enflent, deviennent monstrueux, incontrôlables. Ils s'accumulent dans les marges, au dos des feuillets, remplissent d'autres carnets encore. Ils te débordent.

Et lorsque tu relis, ce que tu vois te paraît mesquin et étriqué, les mots portent presque toujours autre chose que ce que tu pensais. Ce qui est noir sur blanc t'apparaît terne en regard de ce qui se pressait derrière tes yeux. Tu constates qu'à l'écriture il reste finalement peu de chose.

Tu relis et les phrases te paraissent plates et informes. Ta voix ânonne et, par-dessus cette voix, des voix et des visages apparaissent et te démentent, reprennent tes mots et les rendent vains.

C'est dans ta tête que naissent les images, c'est là qu'elles vivent. Les mots tracés ne contiennent rien.

Ton beau manuscrit te semble lourd dans le cartable, te semble gros lorsqu'il gonfle le cuir, et tu sais que les pages sont désertes. Tels des termites repus, tes souvenirs ont cessé de les habiter. De loin, la matière paraît saine et solide. Quand tu la touches, tes doigts se couvrent d'une substance pulvérulente qui masquait les trous creusés par les parasites.

Crrrssshtuiiittersailles-Chantiers ! Une minute d'arrêt. Nous informons les voyageurs qu'en raison de l'arrêt de travail de certaines catégories de personnel le terminus de ce train se fera à titre exceptionnel en gare de Paris-Vaugirard. Un service d'autobus assurera la liaison avec Paris-Montparnasse...

— *C'est où ça, Bougirare ?* s'affole la vieille dame en serrant plus fort son sac.

Les trois cravates se lancent dans l'analyse économique de la productivité des fonctionnaires.

Les deux poudrières se trémoussent. De toute évidence, ça leur fait plaisir d'arriver un peu en retard.

Tu revisses le capuchon du stylo laqué. Tu l'agrafes à ton col de chemise. Tu ranges les feuilles dans le dossier cartonné. Tu serres la sangle de toile blanche. Tu enfouis le dossier dans le cartable.

Tu défroisses tes manches de chemise. Tu te lèves. Sur le porte-bagages tu attrapes le pull. Tu le mets. Tu enfiles le blouson. Tu remontes la fermeture à glissière jusqu'à l'agrafe du stylo. Tu te rassois.

Les autres passagers s'agitent. La vieille dame est déjà sortie du compartiment et doit être en train de camper devant la porte du wagon. Il va bien lui falloir le reste du trajet pour étudier le mécanisme d'ouverture. Les cravates se lèvent et s'ajustent entre deux appréciations boursières. Les poudrières échangent des mouchoirs en papier.

Les trois hommes sortent du compartiment. Ils referment la porte derrière eux sans la claquer. L'un d'entre eux fait au revoir de la tête.

Les deux femmes pouffent. Elles t'agacent. Tu entreprends de les affubler de longues chemises boutonnées par-devant et de les allonger sur la table d'examen. Tu n'y parviens pas. Tu hausses les épaules.

C'est qu'elles n'ont pas la tête à ça.

Le train roule à petite vitesse. Dehors, il fait grand soleil, mais probablement froid. Sur une voie adjacente, des hommes ont allumé un brasero. Tu remontes la fermeture à glissière de ton blouson jusqu'au menton.

Ta montre affiche 9 : 37.

Le long des voies défilent des immeubles inconnus.

À la fenêtre d'un appartement de rez-de-chaussée, une fillette colle son nez sur la vitre et l'embue en regardant le train passer. Tu t'étonnes qu'elle n'en ait pas encore marre.

Le train s'immobilise. Les deux jeunes femmes se mêlent à la queue qui se tortille dans le couloir. Tu restes assis dans le compartiment. Tu réfléchis.

Tu te lèves. Tu es décidé.

Tu ouvres le cartable. Tu sors le dossier cartonné et sans plus d'hésitation tu le jettes sous la banquette opposée. Tu t'enfuis dans le couloir vide. Tu sautes sur le quai. Tu te mets à marcher vite, à courir presque. La serrure du cartable saute. Tu essaies de la refermer sans t'arrêter. Elle ne se laisse pas faire.

Tu rejoins la foule. Des panneaux te guident jusqu'au départ de l'autobus de liaison. Tu montes dans le véhicule plein à craquer. Tu cherches vaguement des yeux la femme aux cheveux tirés. Elle n'est pas dans l'autobus. Les portillons se referment dans un sifflement mêlé de verre qui vibre et de caoutchouc qui se tend. Tu agrippes le manteau de ton voisin pour ne pas tomber au démarrage.

Tu reconnais le boulevard. Tu comprends que l'autobus de liaison termine son trajet non loin de l'arrêt du 96. Heureusement, tes repères habituels sont visibles.

Tu es encore sous le choc. Ta tête est vide.

Plus tard, tu sentiras ta gorge se serrer en pensant qu'un employé des trains va découvrir ton travail, qu'il le portera sans doute au bureau des objets perdus, qu'un chef de bureau examinera l'objet à la recherche d'un quelconque signe d'appartenance. Qu'il ne trouvera pas.

Peut-être le fera-t-il lire à ses collègues, et ils

riront grassement Il y a vraiment de drôles de types.

Tu ne retourneras pas le chercher. Tu résisteras. Un an et un jour, s'il le faut.

Tu descends de l'autobus. Tu marches en frissonnant sur le parvis de la gare. Tu t'arrêtes à l'épicerie en plein air. Tu choisis des fruits. Les plus juteux. Ceux qu'on fait venir à prix d'or de pays où il fait toujours soleil. Tu en achètes une livre. Tu rejoins l'arrêt du 96. Devant l'abri, le chauffeur discute avec un de ses collègues. Tu montes à l'avant. Tu vas t'asseoir tout au fond. Tu poses le sac de fruits sur le cartable, le cartable sur tes genoux. Tu attends le départ.

Le chauffeur met le moteur en marche.

Le cartable est comme dégonflé sur tes genoux. Flasque. Une dépouille. Tu commences à sentir l'air te manquer. Les portes de l'autobus soupirent à ta place, se referment. Le véhicule s'ébranle et dans le même instant, tu sens le coup de frein, tu vois une silhouette courir sur la chaussée, la femme aux cheveux tirés grimper essoufflée à l'avant.

Elle fouille son sac et remercie le chauffeur en brandissant une carte. L'autobus repart. Elle jette un regard circulaire aux passagers. Elle croise ton regard.

Tu fais la grimace.

Elle hésite, puis se met à remonter l'allée dans ta direction. Elle s'immobilise à moins d'un mètre de toi, reste là debout, reprend son souffle en se tenant à une main courante.

Elle finit par lâcher la barre métallique pour fouiller à nouveau son grand sac.

Elle en sort le dossier cartonné.

— Vous l'aviez oublié dans le compartiment.

Tu n'avais pas vu qu'elle avait des cheveux gris. Tu lui donnais ton âge, mais elle doit avoir une quarantaine d'années.

— Vous l'aviez oublié, n'est-ce pas ?

— Non. Je l'avais abandonné.

Sa réaction t'étonne : elle serre le dossier contre elle.

— Pourquoi avez-vous fait une chose pareille ?

Tu respires profondément.

— C'est une longue histoire...

L'autobus ralentit, accélère à nouveau. Elle manque de tomber, se rattrape de justesse à la barre. Elle finit par s'asseoir, un peu à distance.

— Je ne comprends pas. Tous les jeudis je vous vois écrire dans le train. Pour moi, ce qu'on écrit est plus précieux que tout au monde... Je pensais que pour vous aussi...

La sangle blanche pend autour de son bras, et caresse sa jupe au gré des cahots.

— Pour moi aussi.

— Alors, pourquoi ?

Tu te grattes la nuque avant de répondre.

— Vous n'avez pas regardé de quoi il s'agissait ?

— Bien sûr que non ! Je savais que ça vous appartenait. J'ai couru parce que je vous ai vu prendre le 96 à plusieurs reprises, je savais que je vous y trouverais. J'étais contente de vous avoir rejoint, je pensais que vous seriez malheureux de l'avoir... perdu.

— Je l'étais. Si vous ne m'aviez pas rattrapé, l'auriez-vous lu ?

— Non. Je pense que non. Je vous l'aurais apporté jeudi prochain.

Elle écarte le dossier rouge de sa poitrine, le

tient un bref instant devant elle, le considère, et te le tend enfin, accompagné d'un regard défiant.

— C'est à vous. Je ne sais pas pourquoi vous avez voulu l'abandonner, mais ça n'a pas marché !

Tu décroises les bras. Tu reçois le dossier. Tu le ranges dans le cartable.

Du bout des lèvres tu dis Merci vous êtes gentille.

Elle reste sans voix à nouveau, elle semble glacée par ton attitude. Elle se lève.

— Bon, eh bien au revoir.

Le bus ralentit, s'immobilise. Les portes s'ouvrent en sifflant. Elle saute sur le trottoir.

Tu fais à nouveau la grimace.

Tu la regardes. Elle a jeté un coup d'œil aux passagers, a croisé ton regard sans rien laisser paraître et s'est assise juste derrière le chauffeur. Elle a ressorti l'agenda de son sac. Elle écrit. Sans se préoccuper des cahots de l'autobus, elle écrit, elle écrit. De temps en temps, elle lève la tête et te jette un regard, comme pour vérifier que tu es bien à ta place.

Tu n'iras pas lui parler. Tu desserres tes bras crispés autour du cartable et du sac de fruits que le jus imbibe et traverse à présent. Pendant qu'elle écrit, tu lui parles en silence.

— Vous avez raison. C'est à moi.

La sangle blanche dépasse sous le rabat de cuir, caresse ton pantalon au rythme du véhicule. Tu ne la repousses pas à l'intérieur du cartable. Tu ouvres le sac en papier, tu prends un fruit. Tu le mords. Tu laisses couler le jus sur ton menton, sur tes doigts.

Tu dis : écrire, c'est tuer quelque chose en soi pour pouvoir continuer à vivre.

Tu engloutis tout le contenu du sac en papier entre Montparnasse et l'Odéon.

VENDREDI

Comme cela t'arrive souvent, tu décrocheras
le téléphone sans raison, d'un geste machinal, et
le silence t'apprendra que quelqu'un est déjà à
l'autre bout du fil, que tu as répondu à l'appel
avant que la sonnerie ait pu retentir.

Et puis, dans ce silence, il y aura ton nom.

— *Bruno ?*

— *Oui, je suis là.*

— *Ça n'a pas sonné...*

— *Je t'ai entendue.*

— *Bruno, c'est positif...*

Tu ne diras rien.

— *Bruno, qu'est-ce qu'on va faire ?*

— *On va faire... ce qu'on a toujours dit qu'on
ferait, ma grande.*

Dans ta voix il n'y aura ni colère ni rancœur
ni inquiétude. Il n'y aura pas de tristesse, pas
encore. Il y aura le soupir de quelqu'un qui se
jette à l'eau.

Tu appelleras A.

Elle sera désolée, mais ne se laissera pas troubler par ce sentiment. Elle se conduira comme tu l'attends.

— *Le vendredi, on fait venir les dames dès onze heures et demie du matin. À trois heures au plus tard, elles seront reparties. Veux-tu lui dire de venir à cette heure-là ?*

— *Très bien, vous êtes gentille. Ça ne fera pas trop tard pour les Agentes ?*

— *Non, tu sais nous sommes toutes là jusqu'à cinq heures au moins...*

— *Je suis désolé de vous casser les pieds comme ça...*

Elle aura son rire rougissant.

— *Tu plaisantes !... Dis, tu sais ce qu'il faut lui dire d'amener ? Bon, alors c'est noté. Allez, à vendredi Bruno.*

Jusqu'à vendredi, tu n'écriras pas.

Tu ne coucheras pas sur le papier tes craintes, tes courbatures, ta fatigue, l'agacement devant les patients revendicatifs, tous les détails sans importance qui te font geindre et traîner les pieds et rentrer au soir le dos courbé, et te venger la nuit en crachant de l'encre.

Jusqu'à vendredi ton corps ne sera qu'un organisme engourdi, assurant de façon presque mécanique les actes de la vie quotidienne.

Tes pensées, elles, seront habitées par le tourbillon des précautions à prendre, des regards à soutenir, des questions auxquelles ne pas répondre. Tu tenteras de répéter mentalement chaque geste, d'ordonner à l'avance des éléments aussi minuscules que l'arrangement des instruments sur le champ bleu ou le texte à placarder à la porte du cabinet médical pendant ton absence.

Tu ne parviendras pas à préparer des paroles justes.

Vendredi, tu porteras ton pantalon en velours côtelé noir, ton pull jaune et ton blouson. Le stylo laqué sera agrafé à ton col. Ton cartable sera posé sur la banquette arrière de la voiture.

Tu conduiras sans hâte.

Tu ne diras rien.

Le gardien dans sa guérite reconnaîtra la voiture de loin, et la barrière se lèvera sans que tu aies à ralentir.

Tu ne contourneras pas le bâtiment pour entrer par-derrière. Tu iras te garer devant l'entrée principale. En haut de l'escalier extérieur, tu ne sonneras pas et, en traversant la salle d'attente déserte pour pénétrer dans le service, tu laisseras la porte ouverte.

Le secrétariat sera vide.

Il n'y aura pas de lettre de médecin à donner, pas d'entretien social, pas de consultation préparatoire. Ce sera un après-midi après la vacation d'un autre. Ce sera après que les dames seront rentrées chez elles. Ce sera après que les Agentes auront passé la serpillière et rangé les boîtes.

A. sera dans le couloir, devant son bureau.

Son sourire sera doux.

— *Je suis désolée de vous revoir dans de telles circonstances…*

— *Moi aussi, mais je sais bien ce que c'est… Ça peut arriver, avec un stérilet…*

211

Il y aura quelques paroles échangées, quelques paroles anodines entre deux femmes qui se comprennent sans pouvoir se le dire clairement.

A. se tournera vers toi.

— *On y va quand tu veux. Quand vous voulez…*

— *Je vais me changer.*

Tu t'engouffreras dans la salle de soins. On entendra le bruit métallique de l'armoire que tu ouvres, le bruit étouffé du cartable que tu jettes sur la pile de linge.

Quand tu reparaîtras, tu auras enlevé le blouson et le pull jaune ; tu auras passé une blouse et replié tes manches, mais le stylo laqué sera accroché à ta chemise, contre ta peau.

Tu diras *Venez*.

Ce seront les gestes que tu fais chaque mardi. Le même rituel rythmé par les mouvements de déshabillage derrière le rideau, l'avance hésitante vers la table d'examen, les mains tendues pour aider à monter, s'allonger, s'installer.

Mais tu n'auras pas besoin d'expliquer comment cela va se passer, tu n'auras pas à dire que cela ne dure pas longtemps. Peut-être seras-tu, un peu plus que d'habitude, attentif à la position des cuisses sur les jambières, à celle du petit traversin sous la nuque. Peut-être ta main restera-t-elle un peu plus longuement posée sur ce ventre.

Tout sera comme un mardi, et rien ne sera semblable.

Bien plus tard, tu chercheras à retrouver le souvenir de ce qui s'est déroulé devant toi, entre l'image de ta main enfilant un doigtier, et celle de la dernière compresse cueillant la dernière goutte rouge orangé sur le sexe aimé.

Tu ne te souviendras, à grand-peine, que de bribes confuses, de fragments dépareillés : la couleur de la chemise de nuit ; les yeux qui se ferment pendant que la sonde va et vient ; les mains de A. entourant la main pâle.

Tu douteras même de la réalité de ces images. Tu ne seras pas tout à fait sûr de ne pas les avoir placées là pour combler l'intolérable silence de ta mémoire.

Tu ne te souviendras pas des paroles prononcées. Tu auras la sensation de n'en avoir prononcé aucune.

Rien de tout cela ne te paraîtra réel, rien ne te paraîtra vrai, parce que rien dans ton corps ne gardera la trace de ces quelques minutes. Tu n'auras pas vu le visage penché au-dessus de tes cuisses ouvertes. Tu n'auras pas senti le museau d'acier fouiller ton sexe. Tu ne te rappelleras pas le bruit de la machine. Tu ne sauras jamais ce que déchire la sonde, là, en bas, tout au fond, au rythme de ta main.

Vendredi, pendant ces quelques instants, ton corps sera absent du monde.

Et puis ce sera l'attente dans la chambre. Loin des instruments qui tintent et qu'on nettoie, du bocal qu'on rince, de la toile qu'on passe sur le sol de la salle.

A. aura donné la consigne de ne pas apporter le plateau tout de suite.

Personne ne viendra jeter un œil par la bande laissée transparente sur les fenêtres peintes de l'office.

Il n'y aura ni mère, ni sœur, ni amie près du lit.

Enfin, ton pas résonnera dans le couloir. Tu entreras sans bruit, tu refermeras très doucement la porte. Tu auras enlevé la blouse et remis le pull jaune. Le stylo laqué sera agrafé à ta chemise, tout contre ta peau. Ce sera toi, à nouveau, Bruno Sachs.

Tu t'approcheras, et tes mains seront vides. Tu viendras t'asseoir sur la chaise près du lit, tu te pencheras vers moi, tes mains se joindront à mes mains sur mon ventre, et comme je pourrai enfin laisser aller mes larmes, tu ne diras rien.

DU MÊME AUTEUR

Aux Éditions P.O.L

EN SOUVENIR D'ANDRÉ, 2012 (Folio n° 5736)

LE CHŒUR DES FEMMES, 2009 (Folio n° 5198)

HISTOIRES EN L'AIR, 2008

LES TROIS MÉDECINS, 2004 (Folio n° 4438)

PLUMES D'ANGE, 2003 (Folio n° 4271)

LÉGENDES, 2002 (Folio n° 3950)

LA MALADIE DE SACHS, 1998 (Folio n° 4233)

LA VACATION, 1989, (Folio n° 5737)

Chez d'autres éditeurs

Littérature

LES INVISIBLES, Fleuve Noir, 2011

LA TRILOGIE TWAIN :

Tome 1 : UN POUR DEUX, Calmann-Lévy, 2008

Tome 2 : L'UN OU L'AUTRE, Calmann-Lévy, 2009

Tome 3 : DEUX POUR TOUS, Calmann-Lévy, 2009

GOOD NIGHTS, photographies de Patrick Zachmann, Biro, 2008

LE NUMÉRO 7, « Néo », Le cherche midi, 2007

À MA BOUCHE, « Exquis d'écrivains », NiL, 2007

LE MENSONGE EST ICI, Librio, 2006

CAMISOLES, Fleuve Noir, 2006 ; Pocket, 2007

NOIRS SCALPELS (ANTHOLOGIE), Le cherche midi, 2005

MORT IN VITRO, Fleuve Noir, 2003 ; Pocket, 2004

LE CORPS EN SUSPENS, sur des photographies de Henri Zerdoun, Zulma, 2002

LE MYSTÈRE MARCŒUR, L'Amourier, 2001

TOUCHE PAS À MES DEUX SEINS, Baleine, Le Poulpe, 2001 ; Librio, 2003

L'AFFAIRE GRIMAUDI (en coll. avec Claude Pujade-Renaud, Alain Absire, Jean-Claude Bologne, Michel Host, Dominique Noguez, Daniel Zimmermann), Éditions du Rocher, 1995

Essais

DR HOUSE, L'ESPRIT DU SHAMAN, Boréal, 2013

PETIT ÉLOGE DES SÉRIES TÉLÉ, 2012, Folio 2€ n° 5471

TOUT CE QUE VOUS VOULIEZ SAVOIR SUR LES RÈGLES, Fleurus, 2008

CONTRACEPTIONS MODE D'EMPLOI, 3ᵉ édition, J'ai Lu, 2007

LES DROITS DU PATIENT, en coll. avec Salomé Viviana, Fleurus, 2007

CHOISIR SA CONTRACEPTION, Fleurus, 2007

J'AI MAL LÀ, Les petits matins/ Arte, 2006

SÉRIES TÉLÉ, Librio, 2005

LES MIROIRS OBSCURS, grandes séries américaines d'aujourd'hui, Au Diable Vauvert, 2005

LE RIRE DE ZORRO, Bayard, 2005

ODYSSÉE, UNE AVENTURE RADIOPHONIQUE, Le cherche midi, 2003

SUPER HÉROS, EPA, 2003

NOUS SOMMES TOUS DES PATIENTS, Stock, 2003 ; Livre de Poche, 2005

C'EST GRAVE, DOCTEUR ?, La Martinière, 2002

LES MIROIRS DE LA VIE, histoire des séries américaines, Le Passage, 2002

CONTRACEPTIONS MODE D'EMPLOI, Au Diable Vauvert, 2001

EN SOIGNANT, EN ÉCRIVANT, Indigène, 2000 ; J'ai Lu, 2001

GUIDE TOTEM DES SÉRIES TÉLÉVISÉES (en coll. avec Christophe Petit), Larousse, 1999

LES NOUVELLES SÉRIES AMÉRICAINES ET BRITANNIQUES 1996-1997 (en coll. avec Alain Carrazé), Les Belles Lettres/Huitième Art, 1997

MISSION : IMPOSSIBLE (en coll. avec Alain Carrazé), Huitième Art, 1993

Traductions

UPDIKE & MOI de Nicholson Baker, C. Bourgois, 2009

CHRONIQUE DU JAZZ de Melvin Cooke, Abbeville, 1998

LE JOURNALISTE de Harry Mathews, P.O.L, 1997

CANARDS MORTELS de Patrick Macnee, Huitième Art, 1996

L'ARTICLE DE LA MORT de Patrick Macnee, Huitième Art, 1995

GIANDOMENICO TIEPOLO de Harry Mathews, Flohic, 1993

LA MAÎTRESSE DE WITTGENSTEIN de David Markson, P.O.L, 1991

CUISINE DE PAYS de Harry Mathews, P.O.L, 1990

COLLECTION FOLIO

Dernières parutions

5586. Sylvain Tesson — *Dans les forêts de Sibérie*
5587. Mario Vargas Llosa — *Le rêve du Celte*
5588. Martin Amis — *La veuve enceinte*
5589. Saint Augustin — *L'Aventure de l'esprit*
5590. Anonyme — *Le brahmane et le pot de farine*
5591. Simone Weil — *Pensées sans ordre concernant l'amour de Dieu*
5592. Xun zi — *Traité sur le Ciel*
5593. Philippe Bordas — *Forcenés*
5594. Dermot Bolger — *Une seconde vie*
5595. Chochana Boukhobza — *Fureur*
5596. Chico Buarque — *Quand je sortirai d'ici*
5597. Patrick Chamoiseau — *Le papillon et la lumière*
5598. Régis Debray — *Éloge des frontières*
5599. Alexandre Duval-Stalla — *Claude Monet - Georges Clemenceau : une histoire, deux caractères*
5600. Nicolas Fargues — *La ligne de courtoisie*
5601. Paul Fournel — *La liseuse*
5602. Vénus Khoury-Ghata — *Le facteur des Abruzzes*
5603. Tuomas Kyrö — *Les tribulations d'un lapin en Laponie*
5605. Philippe Sollers — *L'Éclaircie*
5606. Collectif — *Un oui pour la vie ?*
5607. Éric Fottorino — *Petit éloge du Tour de France*
5608. E.T.A. Hoffmann — *Ignace Denner*
5608. Frédéric Martinez — *Petit éloge des vacances*
5610. Sylvia Plath — *Dimanche chez les Minton et autres nouvelles*
5611. Lucien — *« Sur des aventures que je n'ai pas eues ». Histoire véritable*

5612. Julian Barnes	*Une histoire du monde en dix chapitres ½*
5613. Raphaël Confiant	*Le gouverneur des dés*
5614. Gisèle Pineau	*Cent vies et des poussières*
5615. Nerval	*Sylvie*
5616. Salim Bachi	*Le chien d'Ulysse*
5617. Albert Camus	*Carnets I*
5618. Albert Camus	*Carnets II*
5619. Albert Camus	*Carnets III*
5620. Albert Camus	*Journaux de voyage*
5621. Paula Fox	*L'hiver le plus froid*
5622. Jérôme Garcin	*Galops*
5623. François Garde	*Ce qu'il advint du sauvage blanc*
5624. Franz-Olivier Giesbert	*Dieu, ma mère et moi*
5625. Emmanuelle Guattari	*La petite Borde*
5626. Nathalie Léger	*Supplément à la vie de Barbara Loden*
5627. Herta Müller	*Animal du cœur*
5628. J.-B. Pontalis	*Avant*
5629. Bernhard Schlink	*Mensonges d'été*
5630. William Styron	*À tombeau ouvert*
5631. Boccace	*Le Décaméron. Première journée*
5632. Isaac Babel	*Une soirée chez l'impératrice*
5633. Saul Bellow	*Un futur père*
5634. Belinda Cannone	*Petit éloge du désir*
5635. Collectif	*Faites vos jeux !*
5636. Collectif	*Jouons encore avec les mots*
5637. Denis Diderot	*Sur les femmes*
5638. Elsa Marpeau	*Petit éloge des brunes*
5639. Edgar Allan Poe	*Le sphinx*
5640. Virginia Woolf	*Le quatuor à cordes*
5641. James Joyce	*Ulysse*
5642. Stefan Zweig	*Nouvelle du jeu d'échecs*
5643. Stefan Zweig	*Amok*
5644. Patrick Chamoiseau	*L'empreinte à Crusoé*
5645. Jonathan Coe	*Désaccords imparfaits*
5646. Didier Daeninckx	*Le Banquet des Affamés*

5647. Marc Dugain — *Avenue des Géants*
5649. Sempé-Goscinny — *Le Petit Nicolas, c'est Noël !*
5650. Joseph Kessel — *Avec les Alcooliques Anonymes*
5651. Nathalie Kuperman — *Les raisons de mon crime*
5652. Cesare Pavese — *Le métier de vivre*
5653. Jean Rouaud — *Une façon de chanter*
5654. Salman Rushdie — *Joseph Anton*
5655. Lee Seug-U — *Ici comme ailleurs*
5656. Tahar Ben Jelloun — *Lettre à Matisse*
5657. Violette Leduc — *Thérèse et Isabelle*
5658. Stefan Zweig — *Angoisses*
5659. Raphaël Confiant — *Rue des Syriens*
5660. Henri Barbusse — *Le feu*
5661. Stefan Zweig — *Vingt-quatre heures de la vie d'une femme*
5662. M. Abouet/C. Oubrerie — *Aya de Yopougon, 1*
5663. M. Abouet/C. Oubrerie — *Aya de Yopougon, 2*
5664. Baru — *Fais péter les basses, Bruno !*
5665. William S. Burroughs/Jack Kerouac — *Et les hippopotames ont bouilli vifs dans leurs piscines*
5666. Italo Calvino — *Cosmicomics, récits anciens et nouveaux*
5667. Italo Calvino — *Le château des destins croisés*
5668. Italo Calvino — *La journée d'un scrutateur*
5669. Italo Calvino — *La spéculation immobilière*
5670. Arthur Dreyfus — *Belle Famille*
5671. Erri De Luca — *Et il dit*
5672. Robert M. Edsel — *Monuments Men*
5673. Dave Eggers — *Zeitoun*
5674. Jean Giono — *Écrits pacifistes*
5675. Philippe Le Guillou — *Le pont des anges*
5676. Francesca Melandri — *Eva dort*
5677. Jean-Noël Pancrazi — *La montagne*
5678. Pascal Quignard — *Les solidarités mystérieuses*
5679. Leïb Rochman — *À pas aveugles de par le monde*
5680. Anne Wiazemsky — *Une année studieuse*

Composition Nord Compo
Impression Novoprint
à Barcelone, le 18 février 2014
Dépôt légal : février 2014

ISBN 978-2-07-045663-5./Imprimé en Espagne.

260944